宋一家。前列左より靄齢、子文、子安、慶齢。
後列左より子良、父・宋耀如、母・倪桂珍、美齢

慶齢

孫文

靄齢

蔣介石

美齢

宋姉妹

～中国を支配した華麗なる一族～

伊藤 純・伊藤 真

角川文庫 10862

国際共同制作「宋姉妹」

制作スタッフ

語り 林 隆三
テーマ曲
歌唱 陳 麗卿
編曲 篠原 敬介
撮影 土屋 裕重
松田 弘行
重本 正
照明 但野 利展
石田 厚
音声 池田 茂
山成 正巳
映像技術 茗荷 常弘
井納 吉一
西久保 輝雄
音響効果 尾上 政幸
田中 繁良
編集 松本 哲夫
コーディネーター 野口 修司
柳原 緑
加藤 祐二
宮智 麻里
ロニー陳
柏木 志保子
ジョン・チャン
ナターリャ・ゴリャーチェワ
構成演出 伊藤 純
伊藤 真
蘇 暉

重延 浩
麻生 晴一郎
制作統括 船越 雄一
柴田 伸明
協力 久保田 博子
イスラエル・エプシュタイン
構成協力 テレビマンユニオン
制作協力 NHKクリエイティブ
国際共同制作 ATV（香港）
TVO（カナダ）
KBS（韓国）
執筆 伊藤 純
伊藤 真

取材・資料・写真等協力

アメリカ国立公文書館、アメリカ国会図書館、ALTERNATE CURRENT、ウエスレイアン大学、ウエルズレイ大学、FBI、外務省外交史料館、ギャガ・コミュニケーションズ、国立国会図書館東洋文庫、上海市孫中山故居・宋慶齢故居・陵園管理委員会、上海電影制片廠、重慶市宋慶齢基金会、ジョン・E・アレン、スタンフォード大学フーバー研究所、スミス・コレクション、SOVTELEXPORT、宋慶齢日本基金会、宋慶齢米国基金会、竹田正道、中国第二歴史档案館、中国中央新聞紀録電影制片廠、中国中央電視台、中国福利会、中国和平出版社、柘植書房、トルーマン大統領図書館、20世紀FOX、ハーバード大学ホートン図書館、潘薇、文物出版社、北京宋慶齢基金会、HOTEL METROPOL、森田京子、山田佳生、UCLAフィルム・テレビ・アーカイブス、UMKCスノー・コレクション、ライフ・ピクチャー・コレクション、リチャード・ヤング、ルーズベルト大統領図書館、ワイド・ワールド

目次

遠矢芳光

宋家の人々

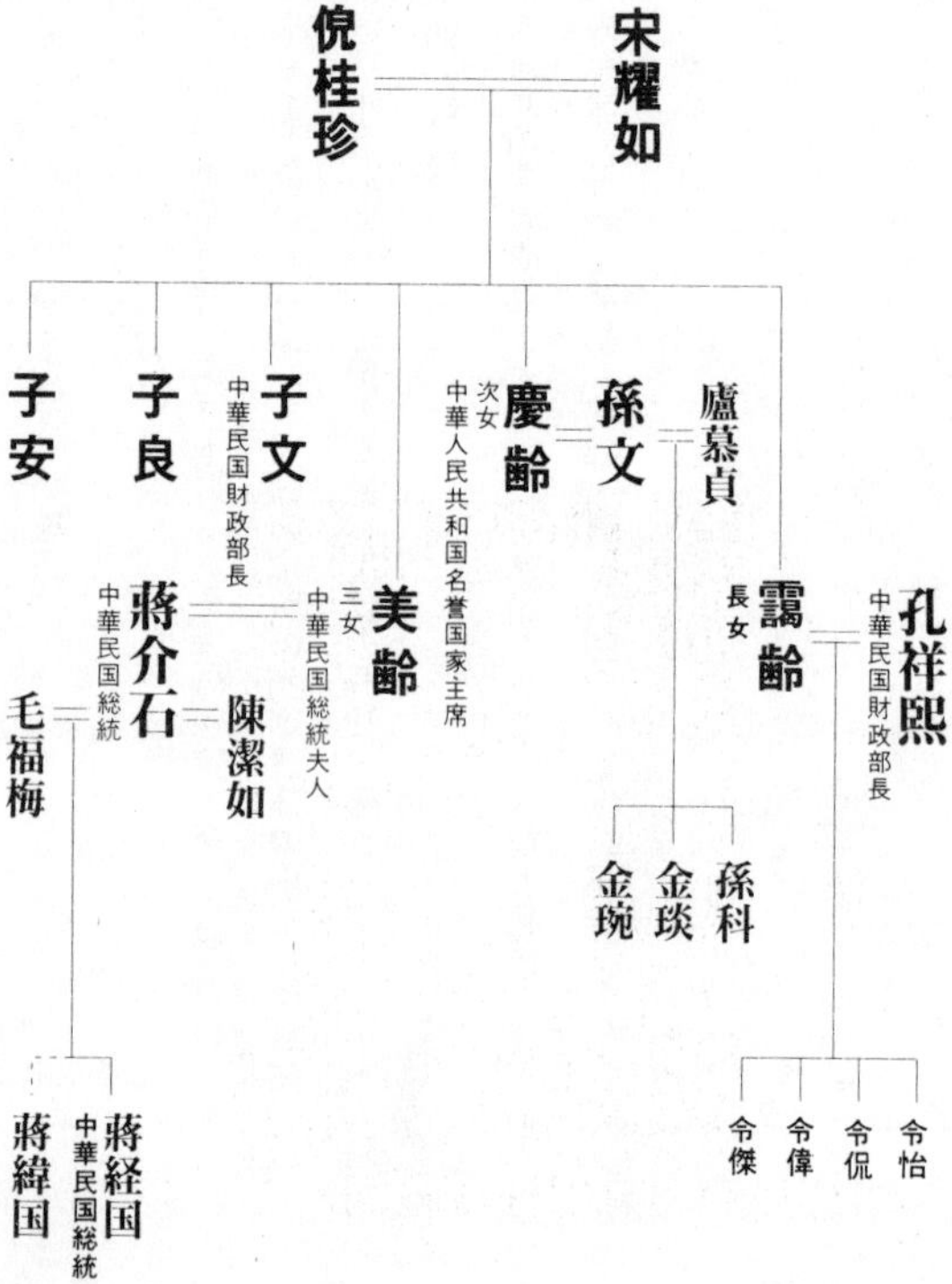

宋耀如
倪桂珍
子安
子良
子文
中華民国財政部長
慶齢
次女
中華人民共和国名誉国家主席
孫文
盧慕貞
靄齢
長女
孔祥熙
中華民国財政部長
美齢
三女
中華民国総統夫人
蒋介石
中華民国総統
陳潔如
毛福梅
金琬
金琰
孫科
令傑
令偉
令侃
令怡
蒋経国
中華民国総統
蒋緯国

第一章
孫文と宋家の三姉妹

左より慶齢、靄齢、美齢

昔、三人の姉妹がいた……

「偽りの正面」。かつて人々は、黄浦江《こうほこう》を遡《さかのぼ》り、視界に現れる上海《シャンハイ》の風景を、こう呼び慣わしていた。立ち並ぶ西洋風のメガロポリスは見せかけに過ぎず、その背後には、混沌《こんとん》の中国が広がっていたのである。

一八八九年、この町に住む財閥、宋耀如《そうようじょ》の家に娘が生まれた。町の中心部には大きく租《そ》界《かい》が広がっていた。娘は、見上げるように背が高く彫りの深い顔だちの西洋人が、租界を闊歩《かっぽ》する姿にすぐに慣れ親しんだ。公園の入口に掲げられた「中国人および犬、入るべからず」という奇妙な看板も、あるいは目にしていたかもしれない。むろん、その看板が意味する屈辱には、すぐには気づかなかっただろうが。

一八九三年、次女が生まれた。その翌年、海を隔てた新興の国、日本との戦争が始まった。日清《にっしん》戦争は日本の勝利に終わり、三世紀にわたって中国を支配してきた辮髪《べんぱつ》の権力者たちは、自らの栄華に陰りが見え始めたことをようやく悟り始めた。

一八九七年、三人目の娘が生まれた。世紀末という西洋風の観念とは多くの中国人は無縁に時を刻んできた。しかし人々は、新しい時代のとば口に自分たちが立っていることを知り、誰が最初の鐘を打ち鳴らすのか、耳をそばだてていた。後に中国革命の父と呼ばれ、三人の姉妹の運命を大きく変えることになる男・孫文は、このときすでに初めての武装蜂《ほう》起《き》を企てていた。

宋家の三姉妹は、それぞれ、靄齢《あいれい》、慶齢《けいれい》、美齢《びれい》と名づけられた。母親譲りの切れ長の目が愛らしい三姉妹だった。暮らしには何の不自由もなかった。上海でも指折りの財力を誇る父に、子どものために費やす金を惜しむ必要などなかった。高い塀に囲まれた屋敷の中で暮らす少女たちには、中国で始まろうとしていた変革のどよめきも、おそらく届かなかったにちがいない。

だが、それから半世紀、中国の激動を生き抜いた三人の姉妹は、その際立った個性によって、人々に記憶されることになる。

「昔、中国に三人の姉妹がいた。ひとりは金を愛し、ひとりは権力を愛し、ひとりは中国を愛した……」

父・宋耀如と孫文

姉妹の父・宋耀如は、一八六三年、海南島の商人の家に生まれた。一族の多くはアメリカに渡り、東海岸の都市の片隅で中国産の品々を商う華僑《かきょう》となっていた。耀如も九歳のとき、母方の叔父《おじ》に連れられアメリカに渡った。この叔父はボストンで初めて中国産の茶と絹を扱う店を開いたが、息子がなかったので、耀如を養子に迎えたのだった。耀如は養父のもとで、商取引の複雑な実務を、三年間にわたって、アメリカ流にあるいは中国流に仕込まれた。

一三歳のころ、耀如は突如養父の家を脱走し、ボストン港から南部に向かって密航を企てる。学問を身につけ自らの力で未来を切り開こうとする耀如を、養父が認めようとしなかったためだという。

この密航が耀如の大きな転機となった。耀如は船員に捕らえられたが、船長チャールズ・ジョーンズの好意でそのまま船にとどまり、働くことになったのである。

耀如はチャールズ・ジョーンズの計らいで、日曜日にはキリスト教の教えを受けた。そして船がウィルミントンに入港すると、ジョーンズは教会の友人を訪ね歩き、耀如の身柄を南メソジスト監督教会のリカード師に託したのだった。耀如はリカード師のもとで洗礼を受けた。洗礼名は、最初の恩人の名に因《ちな》んで、チャールズ・ジョーンズ・スーン。耀如はその後、「チャーリー・スーン」の名で呼ばれることになる。

耀如はリカード師の縁で、アメリカの信仰厚い人々の知遇を得た。彼らにとって当時中国は、開拓伝道の求められている未開の地だった。その中国からやってきた耀如は、重い鎖につながれた辮髪の中国人を救うために遣わされた、何かしら特別な存在であった。

耀如は、マサチューセッツ州ランドルフにあるメソジスト・トゥリニティ・カレッジで学び、さらにテネシー州ナッシュビルのバンダービルト大学に転学した。神学部に在籍した耀如は、やがてあちこちの教会から迎えられ、流暢《りゅうちょう》な英語で感動的な演説を行ったと伝えられる。

一八八六年、耀如は一四年間のアメリカ生活を終えて帰国し、上海に落ち着いた。すでに上海は国際都市としての景観を備えていた。黄浦江には見上げるような大型汽船が貨物の積み下ろしを繰り返していた。欧米の軍艦や帆船が多いときには一〇〇隻以上も入港し、五〇〇隻あまりのジャンクが帆柱を林立させていた。

町の中央部は共同租界とフランス租界で占められていた。中国人は、租界の中で、数の上では欧米人を圧倒していたが、「清国人《しんこく》はその資格を有せず」「支那人を除く」の但《ただ》し書きが、常について回った。宋耀如はこの上海で、南メソジスト教会の牧師として伝道につとめたが、教会の中でも中国人は差別されていた。外国人牧師は表門から出入りするのに、中国人牧師は裏門からの出入りしか許されなかったのである。

やがて耀如は、同じくメソジスト派の信徒であった倪桂珍《げいけいちん》と結ばれた。夫妻は三男三女に恵まれた。靄齢・慶齢・美齢の三姉妹、そして子文・子良・子安の三兄弟である。このころから耀如の関心は、伝道よりも企業経営に傾いていった。彼はまず機械工場の経理担当者となり、製粉・製麵《せいめん》工場にも投資し、経営に参加した。そして耀如は聖書の印刷・出

姉妹の父・宋耀如

版で成功をおさめ、財閥への道を駆け上がっていく。

幼い姉妹たちの前に、やがて父と同年配の一人の男が現れた。男は中国の現状を憂い変革の必要性を熱っぽく説いた。宋家を、中国の政治と革命のるつぼに引き込むことになる男・孫文である。

孫文と耀如との出会いについて、確かな記録は残されていない。しかし、おそらく二人は教会の活動を通じて出会ったのではないかと推測されている。そして耀如は、孫文との出会いによって、キリスト教の福音による中国の救済ではなく、革命によって中国を救済する道を選ぶようになったのではないだろうか。

耀如は事業の合間を縫って孫文を助けた。当局に付け狙《ねら》われる孫文を自宅にひそかにかくまったのは耀如だった。彼は孫文の秘書であり、革命運動のオルガナイザーであり、資金面のスポンサーでもあった。耀如が経営する印刷会社では、聖書が山積みされた内側で、ひそかに孫文の革命運動に関するパンフレットや宣伝文が印刷されていたという。

財閥と革命家、宋耀如のふたつの顔は、微妙な濃淡の差を伴って三人の姉妹に受け継がれていく。

ジョージアの青春

宋耀如は、三男三女の子どもたちをすべてアメリカに留学させた。長男の子文と三男の子安はハーバード大学、次男の子良は父親と同じバンダービルト大学に学んだ。三人の娘たちのうち、長女の靄齢と次女の慶齢はジョージア州ウエスレイアン大学を卒業。三女美齢は同大学に一年学んだ後マサチューセッツ州へ移り、ボストン郊外のウエルズレイ大学を卒業している。

長女靄齢が、父親と親しかったアメリカ人宣教師ウイリアム・バーク夫妻に伴われて上海を離れたのは、一九〇四年五月二八日のことだった。

知人の保護のもと、気楽な旅になるはずだった航海は、靄齢に意外な試練を課すことになった。三人はまず上海から横浜へ向かったが、ここでバーク夫人が病に倒れ夫妻は航海の中断を余儀なくされた。横浜から先、靄齢は西洋人ばかりの客船で単身太平洋を横断しなければならなかったのである。しかも、ホノルルを経由してようやくサンフランシスコに到着した靄齢は、こんどは入国審査で書類の不備を指摘され、上陸を許されないまま数週間も客船に留め置かれた。いまさら太平洋を祖国へ向かって引き返すこともできず、わずか一四歳の少女だった靄齢は途方に暮れたにちがいない。しかし、幸いにもやがてバーク師が遅れてサンフランシスコに到着し、入国手続を済ますと、靄齢を無事ジョージア州メイコンに送り届けたのだった。

わずかなインド人の留学生の他、ほとんど東洋人を迎えたことのない土地である。靄齢の到着は早速地元の新聞に報じられた。「メイコン・テレグラフ」紙は「ミス靄齢は昨夜深更零時半過ぎ、ようやくメイコンに到着した。彼女はウエスレイアン大学初の中国人学生であり、なかなか賢い少女だとのことである」と、この遠来の少女について伝えている。

メイコンはアトランタの南およそ一八〇キロ、ジョージア州第二の都市である。南北戦争中に南部連合の武器と黄金の貯蔵庫が置かれ、現在も、北軍の砲撃を受けた屋敷が記念館として保存されるなど、南部の伝統が色濃く残る。そのメイコンに、アメリカ初の女子大学として一八三六年に創立されたのがウエスレイアン大学である。キリスト教に則《のっと》った教育を伝統とし、一九世紀のうちから多くの卒業生たちがアジアやアフリカなどで宣教師団の一員として活躍した。現在では宗派を問わず広く学生を集め、日本人を含め、数多くの留学生が学ぶようになったが、厳格なその校風を守って今日に至る。

三姉妹が学んだ当時、大学は町の中心にほど近い、市街地を見下ろす丘の上にあったが、現在は西郊にキャンパスが移転している。旧校舎の跡地は郵便局になり、一九世紀末の校

三姉妹が学んだ当時のウエスレイアン大学

舎を模した煉瓦《れんが》造りの建物が当時を偲《しの》ばせる。近くには三姉妹が日曜礼拝に通ったメソジスト派教会が建ち、美齢がアイスクリーム・サンデーを食べに毎日のように足を運んだというドラッグ・ストアが、今は自転車屋として残っている。当時の姉妹を知る人々の多くはすでに他界したが、一九三〇年代、ウエスレイアン大学の同窓会誌の編集委員だったユーニス・トムソンが聞き書きした記事が、三人の留学生活を知るうえで貴重な資料となっている。この記事を中心に、メイコンに学んだ靄齢、慶齢、美齢の少女時代を振り返ってみよう。

メイコンに到着した靄齢は、まずウエスレイアン大学のゲリー学長のもとで一年間寄宿生活をしながら予備教育を受け、翌年正式に入学した。

靄齢。1905—08年頃

靄齢はもの静かでひかえめな学生だったという。しかし、ホームシックにかかったとしても、大学では誰一人として彼女が弱音を吐くのを聞かなかったほど、芯《しん》の強さをもった少女だった。靄齢はしばしば学生誌「ザ・ウエスレイアン」に投稿し、早熟な思想家ぶりは教師たちをも驚かせた。ある記事のなかで靄齢は、生半可《なまはんか》な教育を受けただけの新米《しんまい》宣教師たちを中国へ派遣すべきではない、と書いている。長い歴史のなかで深遠な思索を重ねて鍛え上げられた中国の伝統的な世界観や人生観は、新米宣教師らの説教をいとも簡単に論破するであろう、と彼女は見抜いたのだった。靄齢はまた、脚本担当として学生演劇にも積極的に参加した。ウエスレイアン大学には今も靄齢が名を連ねた舞台のパンフレットが大切に保管されている。

一九〇七年の夏、姉靄齢のあとを追うようにして慶齢と美齢がアメリカに向かった。このとき慶齢一四歳、美齢は一〇歳である。両親ははじめ、まず慶齢を渡米させ、一四歳になるのを待って美齢も留学させる予定であった。しかし美齢は聞き入れようとしなかった。断固として姉慶齢との同行を求めてやまず、とうとう両親が折れて幼い美齢もアメリカへ

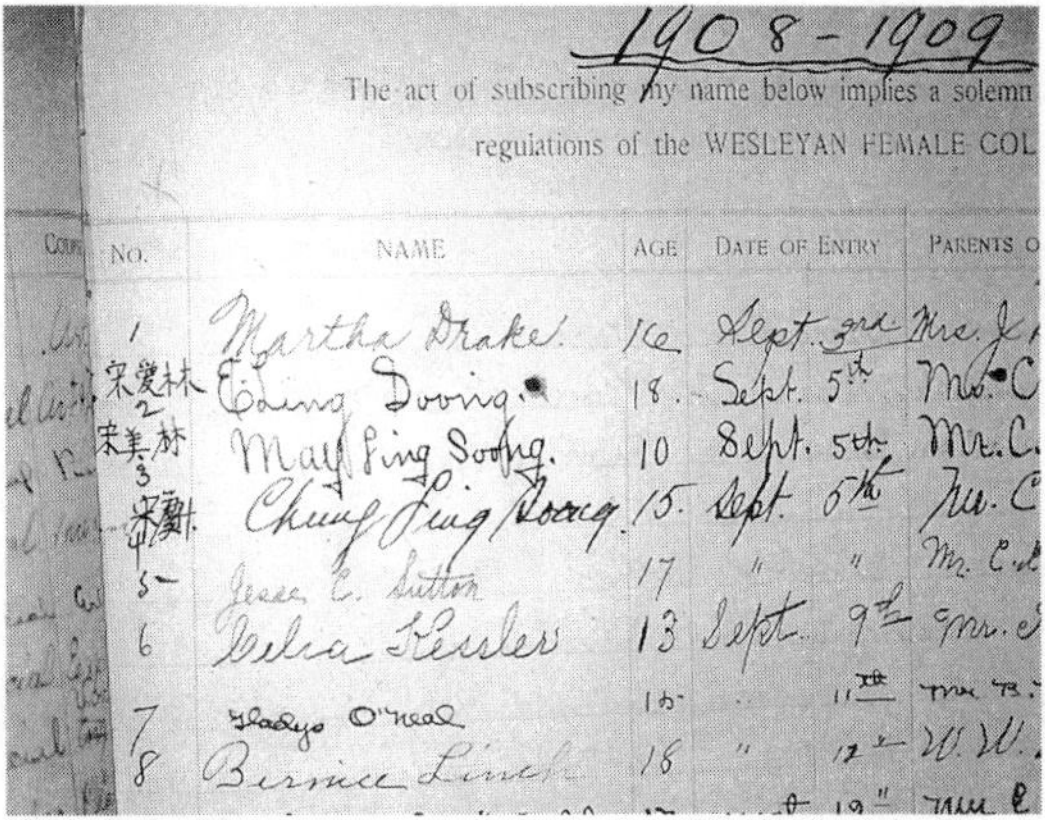

三姉妹の署名があるウエスレイアン大学の学籍簿

と旅立ったのである。美齢はこの当時から生来の気の強さと外向的な性格を遺《い》憾《かん》なく発揮した。

一九〇八年、一五歳になった慶齢は、靄齢がいたウエスレイアン大学に入学を許された。しかし、美齢はまだわずか一一歳。当時アメリカでは、大学に入学する年齢が比較的自由であったとはいえ、あまりにも幼すぎた。結局一年間同じジョージア州で地元の学校に通った後、翌年学長の特別のはからいで学生寮に部屋をもらい、大学の教員に個人教授を受けながら姉たちと共に生活することを許された。美齢が正式にウエスレイアン大学に入学したのは一九一二年の九月になってからである。

慶齢が入学した翌年、一九〇九年の夏、長

美齢（一番左）

女靄齢はウエスレイアン大学を卒業した。この年の卒業記念リサイタルのパンフレットに靄齢の名が見える。彼女はプッチーニのマダム・バタフライの朗読劇で、主役の蝶々《ちょうちょう》夫人を演じたのである。このとき父・宋耀如は、靄齢が身にまとう日本風の着物を作るために、四〇ヤードの深紅の緞子《どんす》を中国から送った。この晴れ舞台を最後に、靄齢はアメリカでの暮らしを終え、上海へと向かったのだった。

クラスメイトたちがお互いの将来を自由奔放に想像して書いた卒業記念の「予言集」は、二〇年後の新聞記事という想定で靄齢についてこう述べている。

「第一面の燃えるようなヘッドラインを見よ！　世界がいまだかつて聞いたこともないほどの偉大な革命が中国で行われている。その真の推進力は指導者の妻である。彼女の賢

美齢（1910年）

慶齢

明さのおかげで中国は大きな進歩をとげているのだ」

　靄齢に対する同級生や教師らの印象は、靄齢に劣らずきわめてまじめな学生だった、という点で一致している。靄齢に倣《なら》い、慶齢もしばしば学生誌に論文を寄稿し、編集委員もつとめた。さらに加えるとすれば、在学中から慶齢の美貌は周囲の注目を集めたようである。

　一方、美齢はまだぽっちゃりとした、快活でいたずら好きな少女だった。何か悪さをして見とがめられるたびに、彼女は持ち前の機転の速さと巧みな話術でいい逃れるのが常だった。喧嘩《けんか》をしていつまでも友だちを責めつづけ、そのような意地悪をして恥ずかしくないのかと教師に厳しく叱《しか》られたときでも、美齢は茶目っ気たっぷりに答えた。「いいえ先生、やってみると案外楽しいものですよ！」

美齢はすっかりアメリカの生活に溶け込み、友人たちにも恵まれた。ウエスレイアン大学に残るアルバムには、美齢がテニスクラブの一員として、テニスウエアの裾《すそ》を風になびかせラケットを握る写真がある。また、学内行事では学生を代表して旗手をつとめ、チア・リーダーとしても活躍した。あまり勉学に打ち込むというタイプでなかった美齢は、後にウエスレイアンでの生活を懐かしみながら書き残している。

「アメリカを訪れることがあれば、ウエスレイアンを訪問しないと満足できないでしょう。当時と同じ教室の同じ椅子で居眠りをしないと、アメリカを満喫した気分にならないにちがいありません」

龍よ去れ、共和国旗を掲げよ！

五年間の在学中に、靄齢、慶齢と美齢はそれぞれ南部訛《なまり》も含めて英語を完全にマスターし、アメリカの暮らしに違和感なく同化しているようにみえた。慶齢はロザモンドという愛称を好み、美齢は自らオリーブというニックネームを考案し、二人は手紙にもこの英語の名前で署名した。また、靄齢は髪をしゃれたポンパドールにし、慶齢と美齢はリボンで結び、三人はいつもドレスを着て、キャンパスではけっして中国式に装おうとしなかった。

しかし、身に着けているのは西洋風のドレスでも、生地は中国製のものを好み、部屋で姉妹たちだけになると、チャイナドレスに身を包んだと、あるクラスメイトは回顧している。

父・宋耀如は、アメリカの娘たちのもとに定期的に手紙を書いたという。大学の教員の回想によれば、耀如は中国の歴史書や古典など読むべき書物について助言を怠らず、上海や中国の様子もことこまかに書き記していた。アメリカの洗練された教育の恩恵を存分に受けながらも、祖国のことはけっして忘れぬようにという、父の思いがあふれていた。そして事実、姉妹たちも父の気持ちによく応《こた》えた。こんなエピソードがある。

ある日、教授が靄齢を呼び止め、君も立派なアメリカ市民になったと彼女をほめた。すると靄齢はクラスメイトの面前で、「私はアメリカ人ではなく中国人であり、それを誇りに思っている」と激しい口調で反論した。

三人のなかでも、特に慶齢はつねに中国の政治情勢に関心を寄せていた。父の手紙は最新の中国の動きを伝え、彼女は早くから孫文の思想や中国革命の前途に思いをめぐらせていた。

一九一一年一〇月の辛亥《しんがい》革命の成功を知らせる手紙を受け取ったとき、慶齢は椅子に上って壁にかけてあった清朝の龍の国旗を引きはがし、父が送ってくれた共和国の新しい五色の旗を掲げた。驚いて見守るクラスメイトたちの前で、龍の旗を踏みつけると彼女は叫んだ。「龍よ去れ、共和国旗を掲げよ！」

のちに慶齢は学生誌「ザ・ウエスレイアン」に「二〇世紀最大の出来事」と題した記事を寄せ、中国革命について記している。

「二〇世紀の最も偉大な出来事の一つ、それは中国革命である。五か月前までは、中国が共和国になることなど、夢のまた夢にすぎなかった。これほど輝かしい成果は類を見ない。四億の魂が四〇〇〇年にわたる君主制の軛《くびき》から解放されたのである。しかし、中国において自由と平等は確立されたが、いまだ博愛という理想が達成されずにいる」

さらに、帰国を控えた慶齢はふたたび学生誌に記事を寄せ、中国の近代化のために留学生たちが果たすべき役割を述べた。

「自由や平等はストライキや暴動や政変によってもたらされるのではない。それは教育と啓蒙《けいもう》によって実現される。留学経験者たちはこれまでにもすでに、阿片《アヘン》中毒者の更生や、纏足《てんそく》の風習の廃止などに強い影響力をもってきた。中国は私たち留学生たちに、帰国後の幅広い活躍の場を用意している」

そして一九一三年夏にウエスレイアン大学を卒業すると、慶齢は彼女自身の言葉のとおり、中国革命の推進という使命に一生を捧げるべくアメリカを後にしたのだった。

慶齢がメイコンを去ると、美齢はボストン郊外にある名門女子大学であるウエルズスレイ大学にあらためて入学した。当時ボストンのハーバード大学に兄・宋子文が在学中だったからである。美齢はこの年の秋から一九一七年に卒業するまで、ウエルズレイで四年間学んでいる。

ウエルズレイ大学はブッシュ元大統領夫人やクリントン大統領夫人の母校として知られ、同じボストンの名門マサチューセッツ工科大学と交換授業をもつなど、アメリカのエリート校の一つである。ボストンから南西に車でおよそ一時間、春には新緑が萌《も》え、秋には紅葉の美しい典型的なニューイングランド地方の風景のなかに、広大なキャンパスが広がっている。美齢はここで英文学を専攻し、とくに『アーサー王物語』の激しいロマンスと葛《かっ》藤《とう》の世界に魅せられたという。

美齢はウエルズレイでの四年間に、やんちゃな少女から思索にふけることを好む学生になっていった。ウエルズレイ大学の資料室に残された、教員の一人が美齢について記した記事が当時の美齢の様子を物語る。この記事によれば、美齢はウエスレイアン時代の知人たちが語るようなおてんばな少女というイメージからはほど遠く、もの静かながら内面に力と独立心を秘めた学生だったという。ある日は「文学とは何ぞや」と質問をしにきたかと思うと、翌日は「宗教とは何か」と問いにくる。通り一遍の答えではけっして満足しない。美齢はつねに自分の頭で考え、自分なりの結論を導き出し、世間の常識を疑ってかかった。

美齢が後にかつてのクラスメイトたち一人一人に贈ったプレゼントは、美齢の持ち前の機知と同時に、彼女の米中両国に対する複雑な心境をうかがわせる。美齢からの贈り物は中国製の美しいティースプーン。そして美齢によればそこに秘められたメッセージは、「中国製のスプーンならいくらでもなめられる。でも中国人をなめることはできない」。そのメッセージはアメリカの友人たちにだけでなく、美齢自身にも向けられたものではなかったろうか。美齢はその後長年にわたって、中国社会の因習と、西洋の東洋蔑視《べっし》という内外二つの壁を乗り越えるために戦いつづけることになる。

中国革命への献身

一九一二年一月、孫文は南京《ナンキン》で、中華民国の臨時大総統に就任した。三世紀にわたった清朝の支配は、ここに終止符を打たれた。アジアで最初の共和国が誕生したのである。

孫文が掲げる三民主義とは、満州異民族支配の打倒を目指す「民族」、君主制を打倒し民主制を目指す「民主」、富の公平な分配を目指す「民生」から成っていた。孫文は、中国が目指すべき社会のイメージに、初めて明確な輪郭を与えたのだった。

盛大な歓呼の声で迎えられる孫文のかたわらには宋耀如と長女靄齢の姿もあった。アメリカ留学を終えて帰国した靄齢は、父の勧めで孫文の秘書となっていた。

左から美齢、子文、慶齢

靄齢にとって中華民国の誕生は格別の意味合いをもっていた。長女であった靄齢は、幼い頃から、父耀如の革命運動に対する献身と労苦を目のあたりにしてきた。いま、愛する父の悲願が、ようやく実ったのだ。

しかし、それからわずか一年後、孫文は日本への亡命を余儀なくされる。軍事力を握る北京《ペキン》の実力者袁世凱《えんせいがい》との戦いに敗れたのである。日本に向かう船上には宋耀如と靄齢の姿もあった。袁世凱の支配下の中国に、孫文の側近の親子がとどまることは、あまりに危険だった。

孫文は一九一三年八月八日、門司《もじ》に到着、神戸を経て一八日、東京霊南坂《れいなんざか》の隠れ家にたどり着いた。そしてその二日後、宋耀如と靄齢がこの屋敷に着き、その後しばらく同居することになる。

そのころ、留学生活を終えた慶齢も、太平洋を渡り日本へと向かっていた。帰国に先立って慶齢は、恩師にあててこう書き送っている。

「私は間もなく帰途につきます。私は、父のためにカリフォルニア産の果物一箱を携えていきます。そして、私はまた、当地の孫博士の崇拝者からことづかった、孫博士への個人的な書簡を携える誇り高き使者なのです」

慶齢はこのとき、中国革命のために献身することを心に誓っていた。

日本での孫文と慶齢の再会のいきさつを物語る記録が残されている。日本の外務省の文書「孫文の動静」。亡命中の孫文の行動を日本の当局が監視し、記録にとどめたものである。

「一九一三年八月二九日。午前九時三〇分。宋耀如いずれかに外出。本人の妹、アメリカより来着したる由ならば」

この「妹」とは、日本の当局の誤認で、じつは慶齢のことである。この日、慶齢は横浜に到着したのだった。

「九月一六日、宋の娘姉妹は、支那人の従者を従え来訪」

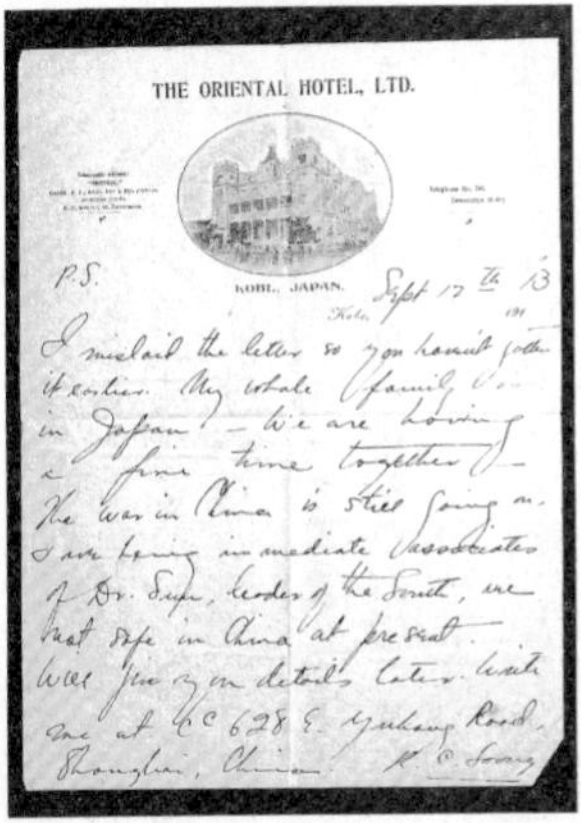
THE ORIENTAL HOTEL, LTD.
KOBE, JAPAN.
P.S. Sept 17th 13
I mislaid the letter so you haven't gotten it earlier. My whole family is in Japan — We are having a fine time together — The war in China is still going on. Being immediate associates of Dr. Sun, leader of the South, we are not safe in China at present. Will give you details later. Write me at C/O 628 E. Yuhang Road, Shanghai, China.

慶齢が日本からアメリカへ書いた手紙

慶齢の結婚

その後慶齢の名は「孫文の動静」に頻繁に登場する。靄齢の結婚が決まったため慶齢が後を継いで孫文の秘書をつとめることになったのである。二人の結婚はそれから二年後、孫文四九歳、慶齢二二歳の秋のことだった。

「孫文の動静」からは、新居の準備に忙しい孫文の様子もうかがわれる。

「一〇月一三日、孫は……毛布及び座布団を約一〇〇円買い求め……簞笥《たんす》店にて簞笥を買い求め……」

慶齢は孫文への思いについてのちに述べている。

「恋愛ではありませんでした。遠くからの英雄崇拝でした。彼のために働いたのは、ロマンティックな娘の考えでした。でもそれはよい考えでした。私は中国を救うのを助けたかったのです。孫博士はそれができるただ一人の人でした」

しかし、孫文と慶齢との結婚はかならずしも祝福されたものではなかった。二人が結婚しようとしていることを知った慶齢の父・宋耀如は、孫文にあててこう書き送っている。

「あなたがおっしゃることは、あまりに唐突で信じることができません。冗談としか受け取ることができません。まったくばかげたことで娘の戯言《ざれごと》としか思えません。孫先生、ふざけるのが好きな若い娘の戯言をどうか信じないで下さい」

親子ほどの年齢の差。しかも当時孫文には妻がいた。中国革命という志は共にしてはいたものの、敬虔《けいけん》なクリスチャンだった耀如にとって、二人の結婚は認めがたいものだった。

その後半世紀あまりを経て、慶齢は親しい友人にあてた手紙の中で、結婚をめぐる両親との葛藤について記している。

「結婚式を挙げた後も、父と母はそれを破棄させようとしました。父は日本政府に働きかけようとさえしました。私は若すぎるし、無理やり結婚させられたのだと訴えたのです。

むろん日本政府は耳を貸そうとはしませんでしたが。

母は涙に暮れ、肝臓を患っていた父は結婚をやめるよう私に嘆願しました。でも私は、泣きながらこれを拒んだのです。もうあれから五〇年もたつのに、私にはそれがほんの二、三か月前の出来事のように思えます」

慶齢七三歳のときの手紙である。愛する父と母を悲しませ、苦しめたつらい記憶は、晩年に至っても彼女のなかから消え去ることはなかったのだった。

宋一族のなかで孫文との結婚に理解を示してくれたのはアメリカにいる美齢だけだった。

慶齢は美齢にあててこう書き送っている。

「私は中国を助けることができる。そして孫博士を助けることができる。彼は私を必要としている……」

結婚時の孫文と慶齢

美齢がアメリカに留学したのはわずか一〇歳のときのことだった。慶齢は、母親代わりになって美齢の世話をしてくれた。その慶齢がいま中国で苦しんでいる。一八歳になり、帰国を二年後にひかえた美齢にとって、慶齢の苦悩は他人事《ひとごと》ではなかった。
美齢の恩師の一人は記している。

「彼女は思い悩んでいました。すでに遠く置き去りにしてきた世界、そしてそこだけに通用する基準に私はもどっていけるのだろうかと――」

一九一四年夏、ヨーロッパでは第一次世界大戦が始まろうとしていた。孫文を指導者とする新たな革命組織・中華革命党が日本で結成されたのは、その年の七月八日のことだった。

孫文の目に、日本はアジアにおける先駆者として映っていた。日本は、日露戦争で大国ロシアに勝利し、急速な近代化を進めつつあったのである。

孫文は述べている。

「もし中国が日本の程度に達すれば、中国は一〇の強国と同じ強さになるであろう。そのとき中国は他に打ち勝ったその地位をふたたび取りもどすであろう」

欧米を凌駕《りょうが》する「富強の中国」の建設。中国の二〇世紀にくり返し現れる見果てぬ夢である。このとき孫文は、日本を範としてその実現を思い描き、日本からの支援に期待をつなぎつづけていた。

一九一六年、孫文夫妻は革命運動を再開すべく中国に帰国した。孫文との新たな暮らしについて、慶齢はアメリカの友人に書き送っている。

「私は幸福です。夫の英文の通信をできるだけたくさん手助けしようと思っています。フランス語も大いに進歩しました。最近ではフランス語の新聞を読んだり、目を通すだけで簡単に翻訳することができます。あなたにはおわかり頂けるものと思いますが、私にとって結婚は、私を悩ます試験がないということを除けば、学校に行くようなものです」

孫文もまた、慶齢との暮らしについて手紙に記している。

「私に新しい生活が始まりました。以前には味わわなかった生活、すなわち本当の家庭生活、仲間であり協力者である人との生活を楽しんでおります。私の前の妻は旅を好みませんでした。それゆえ彼女は、私の亡命にも同行しませんでした。彼女は年老いた母と落ち着いた生活をしたかったのです。それで妻は、古い慣習に従って、第二夫人をめとるよう私にいつも勧めてきました。しかし、私の愛した女性は、そのような立場には耐えられないでしょうし、私自身も彼女をあきらめることはできませんでした。このようなわけで、先妻と離婚する以外に方法がなかったのです……」

孫文夫妻が帰国した翌年、美齢も、一〇年にわたるアメリカでの留学生活を終え、上海に帰ってきた。一家全員が久しぶりに顔を揃《そろ》え、孫文との結婚に対する父母の怒りもようやく和らいでいた。しかしそれもつかの間、宋耀如は、一九一八年五月五五歳で、中国革命の成就を見届けることなく世を去った。

上海の旧フランス租界の一角に、耀如の死後、宋家の人々が暮らした屋敷が残されている。住宅難のため、現在はこの屋敷に八世帯三九人もの人々が暮らしているが、それでも屋敷のそこここに、往時の面影をしのぶことができる。母桂珍や美齢が弾いていたピアノ。朝晩の礼拝のために使っていた小部屋。一家が囲んでいた一枚板の大きな食卓。それぞれ新しい家庭を築いていた靄齢も慶齢も、折にふれてこの屋敷を訪ね母や妹と団欒《だんらん》のひとときを過ごした。だが、宋家の三姉妹の平安は、長くは続かなかった。

第二章　三姉妹の訣別

慶齢（1922年、上海にて）

ロシア・最後の選択

第一次世界大戦は中国をめぐる国際関係を一変させた。イギリス、フランスなど中国に巨大な権益を持っていた諸国は、ヨーロッパ戦線に全力を注ぎ、アジアを顧みる余裕を失った。その間隙《かんげき》を縫って、中国に対する侵略的姿勢をあらわにしたのが日本だった。一九一五年一月、日本政府は中国に対し、いわゆる「二一ケ条要求」を提出、権益の拡大強化を狙《ねら》った。孫文が、アジアの先駆者としての日本に寄せた期待は早くも裏切られたのである。中国国内では、袁世凱《えんせいがい》の死後も、北方の軍閥による支配がつづいていた。西南部の軍閥と提携しこれに対抗しようとした孫文の戦略も、軍閥側の裏切りによって実ることなく終わっていた。

苦境に立った孫文の前に救世主として現れたのが、建国後間もないソビエトだった。一九二三年一月、ソビエトは、孫文との交渉のために、外交官アドルフ・ヨッフェを中国に派遣したのである。

帝政を打倒しソビエトを樹立したロシア革命は、新たな革命の道を模索していた孫文に、衝撃と希望を与えた。さらに一九一九年、ソビエトは帝政ロシアが中国との間で結んでいた不平等条約の破棄を表明し、中国の人々の支持と共感を呼びおこした。外交官ヨッフェの派遣は、ソビエトが、将来の中国を担うのは孫文率いる国民党であるとの認識に立っていることを示すものだった。

ヨッフェとの交渉は孫文の上海の屋敷で行われ、その結果は、一月二六日、孫文・ヨッフェ共同宣言として発表された。

「中国にとって最も重要で緊急な問題は、中華民国の統一の成功と完全な国家の独立を獲得することにあると考える。ソビエトはこの大事業に対して熱烈な共感をもって援助する」

この会談に同席した慶齢はのちに語っている。

「ロシアは孫博士にとって残された最後の選択だったのです。

孫博士が直面した中国を考えてみて下さい。一〇〇年にわたりあらゆる国々から玄関の靴拭きのように踏まれてきたのです。中華民国ができてからも外国の勢力は中国を植民地のように扱いました。孫博士は各国に何回となく援助を要請しました。だが、いつも侮辱され笑われ、拒否されたのです。ロシアは中国を対等に扱った最初の国なのです。ロシア人は有色人種を劣等なものとして扱わなかったのです」

革命いまだ成らず

社会主義革命を全世界に呼びかけていたコミンテルンの指示の下で、一九二一年七月、上海で中国共産党が結成された。しかしコミンテルンは、中国革命の中心的な担い手は共産党ではなく国民党であり、共産党は国民党を補完するものととらえていた。コミンテルンは、この判断の上に立って、中国共産党に対し、国民党との連合戦線を結成するよう求めた。

一方孫文は、ヨッフェとの共同宣言を受けて、一九二四年一月、国民党の第一回全国代表大会を開催、「連ソ・容共・扶助《ふじょ》農工」の三大政策を決定した。国際的にはソビエトと連合し、国内では共産党と協力して革命を推進する「国共合作」の方針が、承認されたのである。

六月、ソビエトの支援によって、中国の革命軍の中核を養成するための黄埔《こうほ》軍官学校が設立された。モスクワからロシア人顧問が派遣され、赤軍の組織と戦略がここに導入されていった。教官の中には周恩来もいた。また、はるか後、文化大革命の折に、謎《なぞ》の死を遂げた林彪《りんぴょう》は、この軍官学校の四期生にあたる。

開校記念式典の壇上に、晴れやかな表情の孫文や慶齢と並んで、軍官学校の初代の校長

黄埔軍官学校開校式典。左より1人おいて蔣介石、孫文、慶齢

に就任した蔣介石《しょうかいせき》の姿があった。軍人として孫文の厚い信頼を得ていた蔣介石は、開校に先立ってモスクワに派遣され、軍事制度を研究すると共に、クレムリンの有力者とも面識を得ている。このとき蔣介石は、トロツキーに向かってこう述べた。

「中国が解放され、ソビエト連邦の一員になることを私は期待している」

蔣介石がやがて激烈な反共主義者として登場することを、誰ひとり予想していなかったのである。

国共合作によって中国革命は新たな段階を迎えた。一九二四年一一月、孫文と慶齢は国民会議の開催のために、上海・天津《てんしん》・北京への北上の旅に赴いた。それはまだ、女性たちが公けの場に顔を見せることもなく、夫が妻を連れ歩くこともない時代のことだった。

人々は、つねに行動を共にする孫文夫妻の姿に、時代の転換を読み取ったのである。

一二月四日、孫文夫妻は天津に到着、二万人あまりの盛大な歓迎を受けた。しかしその直後、孫文は激しい疲労感と高熱に襲われ、そのまま病床についた。服薬と数日の休養によっていくぶん持ち直したかに見えたが、以後、医者からは絶対安静を命じられる身となった。じつはこのとき、すでに孫文の肉体は肝臓ガンにむしばまれていたのである。

孫文と慶齢との暮らしはわずか一〇年にも満たず終わった。病床に臥《ふ》したまま冬を過ごした孫文は、一九二五年三月一二日、革命に明け暮れた五九年の生涯を閉じた。死に直面し、意識が途絶えがちになるなかで、孫文が叫んだのは「和平……奮闘……救中国」の数語であったという。

このとき慶齢はまだ三二歳。彼女は、夫であり、教師であり、革命の同志であり、思想上のリーダーでもあった人物を一時に失ったのである。その後、慶齢自らに死が訪れるまで、彼女は、夫孫文の命日になるとかならずひとり部屋にこもり、在りし日の孫文の面影をしのんでいた。

三月二四日、北京中央公園で行われた葬儀の場で、孫文の遺書が読み上げられた。

「余、国民革命に力を尽くして四〇年、その目的は中国の自由・平等を求めるにあった。革命いまだ成らず。すべてわが同志は、その貫徹を期さねばならぬ」

葬列の中には、悲しみにくれる孫文夫人宋慶齢と、彼女をいたわり気づかう靄齢と美齢の姿があった。数十万に上る会葬者の列は途切れることなく続き、孫文の「未完の革命」を受け継ぐ人々の厚みと広がりを示した。長く抑え込まれてきたその力は間もなく激しい勢いで噴出し、中国革命を導いていく。そして、孫文亡き後の空白を誰が埋めるのか、革命の主導権をめぐる抗争がやがて激化するなかで、三姉妹はそれぞれの道を選びとっていくのである。

孫文を継ぐ者たち

中国がいかに帝国主義諸国によってむしばまれていたか、次に引用する二つの文章が雄弁に物語っている。一つは一九二七年、上海の工場衛生に関する監督官として中国にやってきたあるニュージーランド人が、上海の労働者の状況について記したものである。

「上海の生糸《きいと》工場は、私が監督に行った工場のなかでも、まことに悪夢のようなところであった。八歳か九歳になったかならぬほどの子どもたちが、一日に一二時間も繭を煮る大《おお》桶《おけ》を前にして列を作って並んでいる。その指は赤く火膨《ひぶく》れし、眼は血走り、眼の回りの筋肉はたるんでしまい、職制が殴りつけるので多くの者は泣きながら働いていた。この職制は八番ゲージのワイヤを鞭《むち》として持って歩き、もし、この子どもたちのうちで糸を間違って引いたものがあると、罰として熱湯でその細い腕に火傷《やけど》をさせたものである。……」

租界に暮らす欧米人たちの暮らしぶりは、これとはあまりに対照的であった。

「外国人は広い地所を構えて大きな屋敷に住み、ちょっと呼びさえすればただちに応じて侍《はべ》る大勢の召使いを抱え、まるで王侯のような生活をしていた。商業以外のことでは外部の支那民衆とは何のかかわり合いも持たなかった。娯楽も自分たちに応じたものを勝手に求められた。例えば乗馬、ボート競技、奥地への船遊び、また狩りの獲物も多かった。そして秋や初冬には酒盛りをして騒いだ。過剰に働くことはなく、つねに遊ぶための時間の余裕があった。身体を鍛える機会は豊富にあったし、また屋内では、晩餐《ばんさん》会やトランプ会やダンスパーティーがつねに催された。……」

孫文死後の三年間は、中国の人々の反帝国主義の戦いが巨大なうねりとなって世界を揺るがし、中国を世界革命の焦点に押しあげた時期であった。その第一の波が、一九二五年五月三〇日、上海から巻き起こった。五・三〇事件である。

事件は、五月一五日、日本資本の内外綿紡績工場の争議中に、日本人監督が組合指導者の一人を射殺し、十数人を負傷させたことに端を発した。これに憤激した上海の学生たちは労働者支援と犠牲者の救済を訴えて街頭宣伝を始めたが、租界当局は「治安を乱した」との罪名で彼らを逮捕し、五月三〇日に裁判が行われることになった。

その日、約二〇〇〇人の学生が「租界の回収」「学生釈放」を叫んでビラを配り演説を行った。これに対しイギリスの警官隊は、抗議のために南京路に集まった市民・学生に発砲して、死者一三人、負傷者数十人という大惨事を引き起こしたのである。

六月七日、宋慶齢は新聞に弾圧への抗議文を発表した。

「この悲劇は、中国民衆の革命への志を圧殺しようとするイギリスと日本の権力がもたらしたものである。……われわれの武器は、愛国心と人々の連帯だけである。民族の独立を勝ち取るために、人権の保障を勝ち取るために、共に戦おう。孫先生の精神はまだ死んではいない」

それは慶齢が、孫文の死後初めて発した政治的なメッセージだった。

五・三〇事件がきっかけとなって、中国全土の六〇〇もの市や町に反帝国主義運動が拡大し、国民党内部の左派や共産党の勢力伸張へと結びついていった。このうねりのなかで慶齢は、孫文の「連ソ・容共」を継承する、国民党左派の中心人物と目されていくのである。一九二六年一月、広州で開かれた国民党第二回全国代表大会で、慶齢は最高位で中央執行委員に選出された。

一九二六年夏、孫文が将来の革命政府の旗として夢見ていた青天白日旗が北へ向かって動き出した。

1927年３月10日に開かれた国民党代表大会。前列右より３人おいて子文、慶齢、中列右より２人おいて毛沢東

「帝国主義と売国軍閥を打倒し、人民統一政府を組織せよ」

孫文の遺志を受け継ぐ国民党は、帝国主義列強と結びついた軍閥を打倒し、中国を統一するための北伐を開始したのである。このとき、国民革命軍総司令として一〇万の軍に号令を発したのは蔣介石だった。

軍は二手に分かれ、国民党左派を中心とする一軍は武漢を目指して西北に進み、右派の蔣介石の率いる一軍は、南昌、上海にむけて進軍した。北伐軍の進攻に呼応して、各地で農民運動、労働運動が燃え上がった。農民たちは地主から権力を奪い取り、地代引き下げを要求した。労働者も自ら武装組織を作り、北伐軍と共闘した。

一一月、武漢攻略と共に、国民政府は広州から武漢に移転することが決定された。かつて辛亥《しんがい》革命の口火が切られた武漢は、揚子江《ようすこう》沿いの交通の要衝だった。国民党左派は、この武漢を首都として中国全土を掌握しようとしたのである。慶齢は、その先遣隊として武漢に向かった。

靄齢の結婚

旧フランス租界にある上海音楽院の前に、がっしりとした体格の老人がたたずんでいた。今年（一九九五年）八四歳になる倪吉士《げいきっし》さん、彼は宋姉妹の従兄弟である。倪さんの母は、姉妹たちの母・倪桂珍の妹にあたる。中国大陸に残る宋姉妹の親戚は、いまや倪さんただ一人である。

現在、上海音楽院として使われているのが、当時、姉妹の長女靄齢が夫と暮らしていた屋敷である。倪さんは、少年時代、毎週のようにこの屋敷に来て、靄齢の子どもたちと遊んだ。当時としては珍しくラジオや蓄音機が置かれ、庭で栽培された新鮮な野菜がいつも一家の食卓を飾っていた。裕福な家に生まれた倪さんの目にも、靄齢一家の暮らしぶりの豊かさが焼きついている。

「靄齢は、私たちにとっては慈愛に満ちた優しい人でした。お母さんのような存在でした。靄齢と慶齢もとても仲がよかったですよ。だからこそ靄齢は慶齢に孫文の秘書を継がせた

靄齢と孔祥煕。結婚直後

のです。美齢は末の妹ですからなおさら靄齢にかわいがられていました」

靄齢の夫・孔祥煕《こうしょうき》は、もともと孔子直系の子孫を名乗る財閥の御曹司《おんぞうし》だった。かつて孫文と共に靄齢が日本に亡命していた頃、孔も日本に滞在し、東京の中国人YMCAの総幹事をつとめていた。姉妹の父だった宋耀如が、たまたま知り合った孔の家柄と将来性を見込んで、娘の靄齢に引き合わせたのである。

横浜で行われた二人の結婚式の模様を、靄齢の友人エミリー・ハーンが書き残している。「夜明けには激しい雨が降ったが、式が始まる前には空は晴れ、柔らかい陽の光が降り注《そそ》いだ。靄齢は、淡いピンクの地に梅の花の刺繍《し しゅう》が施されたウエディングドレスを身につけ、黒く輝く髪を梅の花のリボンで束ねていた。丘の上の小さな教会で式が行われた後、靄齢は金色の小鳥が刺繡された青いリンゴ色のドレスに着替え、二人は馬車で鎌倉に向かった。日本の太陽は気難しげだったが、鎌倉までの並木道を照らしつづけた。二人がホテルに到着すると再びどしゃ降りになったが、靄齢のドレスは濡《ぬ》れずにすんだ。孔祥熙は二人の結婚を祝福する自然に感謝し、『これは吉兆にちがいない』とつぶやいた」

それは確かに吉兆となった。この結婚によって、宋一族と孔一族、二つの財閥は揺るぎなく結びつき、そして孔は、中国革命の父・孫文の義兄という栄誉をも獲得したのである。中国にもどった孔夫妻は、不動産業や金融業にも手を広げていった。孫文との縁がものをいって孔は国民党の有力者となり、家庭では四人の子どもにも恵まれた。

倪さんは語る。

「表向きは孔祥熙が外の仕事をし、靄齢は家庭のことだけに関心があるかのように見えました。しかし実際は、あらゆることを彼女が陰で指示していました。孔祥熙が靄齢に逆らうのを見たことがありません。何でもいう通りにしていました」

後に人々は、孔祥熙を揶揄《やゆ》し、こう語ることになる。

「結婚によって官職を得て、官職によって財を成した男」

四月一二日の惨劇

一九二七年三月二一日、蔣介石の部下の白崇禧《はくすうき》将軍率いる北伐軍は、上海郊外の龍華に到着した。これと呼応して上海の労働運動を指導する上海総工会は、二一日正午を期してストライキの指令を発し武装蜂起《ほうき》を労働者に呼びかけた。

ストライキに参加した労働者は五〇万人とも八〇万人ともいわれる。交通がマヒし、紡織機の響きが途絶えた街のなかで、五〇〇〇人の武装した労働者を中核とする反乱が始まった。武装とはいっても、彼らが携えた武器は、こん棒、斧《おの》、小刀、そしてわずか一五〇挺《ちょう》のモーゼル銃にすぎなかった。しかし、翌日の夜明けまでに、上海の多くの警察と軍事拠点を労働者は押さえた。兵士と警察官は形ばかりの抵抗の後、制服を脱ぎ捨て、武器弾薬を労働者に引き渡した。家具・箱・ベンチが街頭に運び出されて積み上げられ、バリケードができ上がった。何百という小さな料理屋が争って労働者のために食事を用意し、女たちが湯気のたつそれを丼《どんぶり》に盛って、戦線に運んだ。目印のために右腕に赤い布を巻いた労働者によって、電信電話局が占領され、電力線が切断された。

三月二三日、上海は、共同租界とフランス租界を除いてすべて労働者の管理下に入った。「国民革命はついに帝国主義の牙城《がじょう》、上海に達した」。武漢政府は喜びに沸《わ》き返った。その三日後、北伐軍の総司令蔣介石が上海に入城した。「国民革命軍万歳！　歓迎蔣介石将軍！」国民党と共産党の合作による中国革命がついに結実したと多くの労働者は信じたのだった。

四月一日、孔祥熙・靄齢夫妻は、二人の人物を上海の屋敷に招いた。蔣介石、そしてもう一人は、フランスから帰国し武漢国民政府主席に就任したばかりの汪兆銘《おうちょうめい》である。かつて孫文の秘書をつとめていた汪兆銘は、死の床にあった孫文から遺言を託され、以来、孫文の後継者と目されていた。二日間にわたって汪兆銘と会談した後、蔣介石は、武漢の国民党中央執行委員会あてに電文を発した。

「私は彼（汪兆銘）の帰国が党の本当の中央集権化を生むことを固く信じている。これでわれわれは分裂なしに、国民運動の究極の目的に達することができる。……今後は国家の幸福と国民党に関することはすべて……汪主席によって導かれ、その指導の下に実行されるる。……われわれは隠しだてのない服従を示さなければならない」

孔祥熙夫妻の仲介によって行われた会談の場で、どのような言葉が交わされたのかを示す記録はない。しかし軍を握る右派の実力者蔣介石が、あらためて左派の指導者汪兆銘への忠誠を公けにしたことによって、武漢政府はその権威を確立し、国共合作による中国革命は進展していくかにみえた。

四月五日、モスクワでは、国共合作を推進してきたスターリンが、三〇〇〇人の代議員を前に誇らしげに演説した。

「蔣介石は規律に服している。……右派がわれわれにとって役に立たなくなったときには、われわれはそれを追い出そう。現在われわれは右派を必要としている。彼らは帝国主義に対して、軍隊を指導し、号令する役に立つ人たちである。……そのうえ彼らは金持ちの商人とも連絡があるから、彼らから金をつくることもできる。そこで彼らは、最後まで利用されて、それからレモンのように絞られて投げ捨てられるべきである」

レモンのように投げ捨てられるのは誰か？　その答が明らかになる瞬間が近づいていた。

この頃、上海で発行される中国紙の紙面は、蔣介石配下の北伐軍司令部による政治広告で連日飾られていた。「打倒帝国主義、封建勢力を絶滅せよ」。しかし、くり返されてきたこのスローガンは、四月六日を境に変化をみせる。

四月七日「国民革命の転覆をねらう反動どもを打倒せよ！」

四月八日「三民主義に反対する者は、すなわち革命に反対する者！」

四月一〇日「新しい上海市臨時委員会を！」

四月一一日「われわれ兵士は苦しい思いをして前線で戦っている。後方では正直な労働者はどんな口実でもストライキはしない。また秩序も乱さない」

惨劇が起こったのはその翌日だった。

四月一二日午前四時、鋭いラッパの音が上海の朝もやを切り裂いた。突如現れた兵士たちが共産党や労働者の組織に襲いかかった。蔣介石が、武漢政府への服従のポーズをかなぐり捨て、反共クーデターに踏み切ったのである。不意をつかれた左派勢力は壊滅的な打撃を受けた。それから三日間、機関銃が鳴り響き、七〇〇人もの人々が血の海に沈んだ。

思いも寄らぬクーデターの発生に対し、四月一七日、慶齢ら武漢の国民党中央執行委員会は、蔣介石らを国民党から追放する命令を出した。

「蔣介石が民衆の殺害及び政党の弾圧に有罪であることが明らかである以上、蔣は党から追放され、すべての職位を剝奪《はくだつ》されなければならない」

しかし、政府は武漢にあったが、武力は上海にあった。蔣介石討伐のために派遣された軍も、瞬く間に蹴散《けち》らされた。

四月一八日、蔣介石は南京で国民政府の樹立を宣言した。かつて孫文が、将来の革命政府の旗として夢見ていた青天白日旗が、蔣介石によって掲げられたのである。

中国に対するソビエトや共産党の影響力の拡大を懸念していた列強は、蔣介石の権力奪取を歓迎した。

イギリスの外務大臣チェンバレンの声明。

「共産党は国民党によって、いかなる外国権力もとうてい及ばない過酷さと能率をもって処罰された。武漢の国民政府は支配的地位を失い、今ではその名前の影にすぎない」

孫宋慶齡對時局宣言

解孫先生的意思和理想

孫先生認定民生主義是中國革命的基礎。

行三民主義的惟一方法。

反的路上走去

的一種機關

法，

過於他人。

想法避去此種責任，而諉過於他人。

4・12政変への慶齢の抗議声明

武漢政府は窮地に立たされた。これまで、武漢政府に従っていた将軍たちが、各地で反共に転じ、共産党の弾圧に動き始めた。武漢政府主席汪兆銘までが、会議の席上こう発言した。

「共産党はわれわれに対して、大衆と共にいくことを提案した。しかし、いったい大衆はどこにいるのか？　彼らが誇った上海労働者、また広東・湖南のすばらしい勢力は、今いったいどこにあるのか？　見たまえ、蔣介石は大衆なしでも十分強固にその地位を確保しているではないか。大衆と共にいくことは、軍隊に逆らうことを意味する。いや、われわれは大衆なしで、軍隊と共にいくほうがいいと思う」

武漢政府は内部からも崩壊しようとしていた。国共の合作の堅持を訴える者は、瞬くう

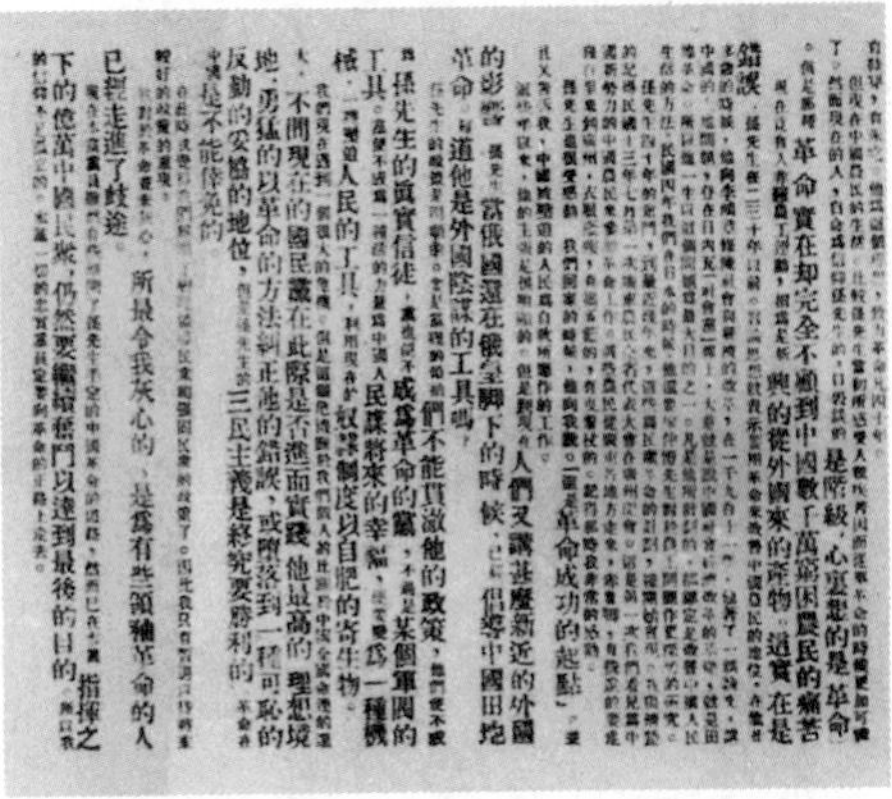
是階級，心裏想的是革命
革命實在却完全不適到中國數千萬窮困農民的痛苦
與的從外國來的產物，這實在是
錯誤
一個是革命成功的起點
人們又講甚麼新近的外國
的影響　當俄國還在俄皇腳下的時候，已經倡導中國田地
革命　道他是外國陰謀的工具嗎？
們不能貫澈他的政策，
孫先生的真實信徒　成爲革命的黨　某個軍閥的
工具　民族將來的幸福　爲一種機
械　人民的工具　奴隸制度以自肥的寄生物。
不問現在的國民黨在此際是否進而實踐他最高的理想境
地，勇猛的以革命的方法糾正他的錯誤，或墮落到一種可恥的
反動的妥協的地位，　三民主義是終究要勝利的
中國是不能倖免的
所最令我灰心的，是爲有些領袖革命的人
已經走進了歧途。
指揮之
下的億萬中國民衆，仍然要繼續奮鬥以達到最後的目的。

ちに少数派となっていった。そして、その中心に宋慶齢がいた。

「中国のジャンヌ・ダルク」

この頃武漢を訪れ、慶齢に面会しているアメリカ人ジャーナリストがいる。ヴィンセント・シーアン。この時期の中国革命の現実を記録した、数少ないジャーナリストの一人である。彼は、上海や南京で蒋介石、宋子文など対立する国民政府両派の指導者との会見を重ねてきていた。武漢ではじめて慶齢に会ったときの印象を、シーアンはこう記している。

「財務省の二階にある薄暗い待合室の奥のドアが開き、黒い絹のドレスに身を包んだ小柄で内気そうな中国人女性が入ってきた。繊細な手の片方にはレースのハンカチを持っていた。彼女が口を開いたとき、私はその声のもつ静かでやさしい、何ともいえない甘い響き

に驚かされた。外の暑さを遮るためのよろい戸が閉められていたので、彼女がかなり近づいてくるまで私にはその姿がよく見えなかった。一体この女性は誰なのだろう。私は当惑した気持ちで彼女を見下ろした。私が知らなかっただけで孫文夫人には娘がいたのだろうか。これほどまでに繊細で弱々しく、幻のように優雅なこの女性が、世界で最も名高い女性革命家の孫文夫人その人だとは思いもよらなかった。

『上海で弟にお会いになったのですね』と彼女はためらいがちにいった。『子文は元気でしたか』この人が孫文夫人だったのだ。

一〇分ぐらい私はどうしたらいいのかわからずにいた。孫文夫人に関する無数の噂を耳にしていたが、ほとんどは嘘だったのだ。アメリカの新聞は彼女に関してはそれまでに見せたこともないような筆力で『中国のジャンヌ・ダルク』だの、『中国人女性大部隊の指導者』だのと、想像だけでいろいろと書きたてていた。彼女が実際に戦場で部隊を率いているという噂は広く流布していて、中国に住んでいながらも、それを信じている外国人もいた。……私は噂を鵜呑《うの》みにしないだけの節度を保ってはいたが、それでもある種の先入観を抱いていたにちがいない。もっと手強《てごわ》い相手を想像していたのだ。それなのに今私が向き合っているのは、私の姿に怯《おび》えてふるえている、うっとりするほど優美な子どものような女性なのだ。このときほど、自分が不細工な大男で、救いようのないほどの野蛮人だと感じたことはなかった。

夫人は威厳というにふさわしい生まれながらの品格の持ち主だった。ヨーロッパの年をとった王族に同じような風格の持ち主もときどきみられたが、それは一生をかけた訓練の成果であった。それに対し、孫文夫人の品位はもっと本質的なもので、鎧《よろい》のように上から着せられたものではなく、内側からにじみ出てくるものだった。孫文の名前に対する忠誠と義務感が、彼女を終わりのない試練に耐えさせていた。このような内に秘められた強さが、ときとして繊細で内気そうな印象の外見を圧倒し、ヒロインとしての厳格さを与えていた。新聞記者が思ったように外見ではなく、もっと本質的な部分で彼女は『中国のジャンヌ・ダルク』だったのだ。

多くの革命家が散り散りになり、逃亡し、あるいは沈黙を守るなかで、弾圧に屈しなかったのは、この繊細で小柄な孫文未亡人だけだった。上海では彼女は『人形』と呼ばれていたが、彼女のような『人形』があと数人いたら、世界はもう少しまともになっていただろう……」

シーアンは慶齢から思いがけない計画を打ち明けられた。上海にいる慶齢の弟・宋子文を、武漢に連れもどすために力を貸してほしいというのである。

当時子文は、武漢政府のいわば大蔵大臣にあたる財政部長の要職にあった。この年三月、労働者の武装蜂起によって上海が武漢政府の傘下に入った直後、子文は上海に向かった。

中国経済を牛耳《ぎゅうじ》る上海の資本家や財閥と交渉し、政府公債を買い入れるよう求め、武漢政府に対する支持を取りつけるためだった。ハーバード大学の出身で、財政の手腕に優れていた子文は、上海の経済界に幅広い人脈と影響力を持っていたのである。

しかし、上海入りした子文を待っていたのは、蔣介石によるクーデターだった。そして南京に新たに国民政府を樹立した蔣介石は、子文の財政の手腕に注目し、南京政府の財政部長に就任するよう圧力をかけていた。

慶齢が子文を連れもどそうとしたのは、姉弟の情からだけではなかった。武漢政府は蔣介石に次々と支配地域を奪われ、広州にあった中央銀行も南京政府に接収されてしまった。武漢政府の危機を救うためにも、慶齢は「財政の天才」子文を蔣介石のもとから奪い返さなければならないと考えていたのである。蔣介石の恐怖政治がつづく上海で、このような危険な使命を果たすには、外国人であるシーアンの協力が必要だった。

しかしこの計画が、靄齢・慶齢・美齢、三人の姉妹の間に思わぬ亀裂をもたらすことになる。

三姉妹の岐路

シーアンは上海にもどり子文を訪ねた。子文は、かつて孫文と慶齢が暮らしていた屋敷で事実上の軟禁状態に置かれていた。

「上海で子文に会ったとき、彼はすぐにでも計画にのってきそうだった。彼は国民党の掲げる理想の真の継承者は、武漢政府であって蒋介石の軍事独裁ではないと見ていた。子文はあらゆる要請や脅しにもかかわらず、蒋介石の政府に入ることを拒みつづけていた。家が絶えずスパイに見張られていたせいで、彼は非常に神経質になっていた。中国人の居住地域では蒋介石の軍隊がいたる所にいて、いつ捕まらないとも限らなかったので、フランス租界と共同租界から出ようとしなかった。蒋介石に捕らえられてしまえば、彼に与えられた選択肢《し》は二つしかなかった。大蔵大臣になるか、投獄されるかだ。

実際、彼は奇妙に思えるほど怖気《おじけ》づいており、武漢からの提案がすべての問題を解決してくれるかのように思えた。彼はほとんどその場で提案に同意し、私の船室に広東出身の王という名前でチケットを取って欲しいと言った。そして武漢での出来事に生き生きと興味を示した」

ところがその翌日、子文はあっけなく前言を翻した。子文から相談を持ちかけられた姉靄齢夫婦と妹の美齢が、武漢行きに反対したのである。

「僕なんかが武漢に行ってもどうにもならない。本当のところ僕は社会革命家じゃないんだよ。革命は好きじゃないし、信じてもいない。

ああ、姉さん……慶齢姉さんにはわからない。どんなに大変か誰もわかってくれないんだ。武漢に着いた翌日に大蔵省から引きずり出されて、暴徒に襲われてばらばらに引き裂かれないとも限らないじゃないか。僕がどうしてインフレを止められるというんだ」

その日子文は、武漢政府に対する懐疑と革命への不安をあらわにした。しかし、その次の日になるとまた考えを変えた。武漢政府こそが国民党の伝統を純粋に代表しているのだとも言った。彼の気持ちは揺れ動きつづけた。

「私が武漢に出発する日は、子文が親武漢政府的な気分になっていた日だった。私たちは最大の注意を払って準備万端整えた。私たちの計画はこうだった。まず私が車で街に行き、孫文の屋敷から数ブロック離れたところで車を降りる。車はフランス租界を一周した後、私に呼ばれたかのように屋敷の庭に静かに入る。そして、再び私が車に乗り込むときに、広東出身の通訳の王氏を同伴する。しかし、暗闇《くらやみ》の中ではスパイにも子文の姿は見えないだろう。

計画の最初の部分は、うまくいった。モリエール街では、見張りに出くわさなかった。それでももちろん彼らは監視していたにちがいない。その夜のそれから後の出来事は、見張りたちを戸惑わせ、また、ずいぶんと歩かせもしたことだろう。それというのも子文がまた考えを変えたからだ。

『行けない』階段から降りてきたとたんに彼は言った。『僕にはできない。迷惑をかけて申し訳ないとは思っているけど、本当にできないんだ』

彼は興奮していて、非常に神経質になっていた。私はホールの階段に腰かけ、驚きのあまりぽかんとしていた。その日の午後に彼は決心をしたはずなのに、それが今になって！私たちは一時間近く話し合った。その間、子文は行ったり来たり歩き回っていたが、私はうんざりして階段に座っていた。突然彼は帽子に手を伸ばした。

『家族に話しにいこう』と、彼は言った」

子文がシーアンとともに訪ねたのは、姉の靄齢の屋敷だった。父・宋耀如亡き後、靄齢が宋家のいわば家長の座を占めていたのである。時計の針はすでに午前一時を回っていた。

「私は宋一族との会話に加わらなかったが、家族がよってたかって子文にルビコン川を渡らないよう警告しているのが想像できた。数時間にわたる討論の末、彼は家の奥から出て来た。そしてがっかりして憂鬱《ゆううつ》そうに口を開いた。

『話は決まったよ。やはり行かない。慶齢姉さんには僕から手紙を書くと伝えて。君の苦労が水の泡になって本当に申し訳ないと思っている』

私は巨大な霊柩車《れいきゅうしゃ》のような車で子文を家まで送った。誰も口を開かなかった。私は優柔不断な事の運びに疲れていたし、彼はとてもふさぎ込んでいた。以来私は彼に会っていない」

慶齢の計画は頓挫《とんざ》した。靄齢と美齢がその前に立ちふさがったのである。二人は、慶齢たちの武漢政府ではなく、蔣介石の南京政府に、宋一族の将来を託す道を選んだのだった。子文をめぐって表面化した三姉妹の間の対立はその後半世紀にわたって続き、ついには姉妹たちを、台湾海峡を隔てたそれぞれの地へと導いていくことになる。

宋一族との訣別

一九二七年七月、宋子文は武漢に帰ってきた。しかしそれは慶齢の願いに応えてのことではなかった。子文は、蔣介石の使者として、武漢政府に屈服を迫るために派遣されたのである。

このとき子文は、蔣介石が記した慶齢あての手紙を携えていた。

「私は上海で、あなたが帰ってくるのを待っています。子文と一緒にすぐに帰ってきてほしい。国民党内部の問題は、あなたの意志に従って解決していきたい」

蔣介石は苦境に立った慶齢を懐柔し、南京政府に取り込もうと目論んでいたのである。

しかし七月一四日、慶齢はこう声明した。

「すべての革命は、社会の基本的変革をもってその基礎としなければならない。そうでなければ、それは革命ではなく、単なる政権の交代にすぎない。……いま、政策は時代の要請に応じて改変すべきだという人もいる。この主張にはいくらかの理はあるが、その変化は逆方向であってはならない。革命政党が革命性を喪失し、革命の旗を掲げながら、本来それを変革することを党の基礎としてきた社会制度を擁護する機関としてしまうような変化であってはならない。……

孫文博士の政策は明確である。もし党のある指導者たちが一貫してそれを実行しないのであれば、彼らはもはや孫文博士の真の後継者ではなく、党はもはや革命のための党ではなく、軍閥の手に握られた単なる道具であり、圧迫のための代理人であり、現在の奴隷制度に取りついた太った寄生虫にすぎない。

中国において、革命は不可避である。

私の胸のうちには革命に対する絶望はない。私はただ、かつて革命を指導した人々のあるものが、迷って道を誤ったことを嘆くだけである」

それは、蔣介石に対する絶縁状であった。そしてそれは同時に、靄齢、孔祥煕、子文、美齢ら蔣介石の側に立つことを選んだ宋一族の人々に対する訣別《けつべつ》の辞でもあった。

その翌日、武漢政府は蔣介石の求めに応じ、中国共産党員の追放を宣言した。国共合作は、孫文の死後わずか二年あまりで崩壊したのである。その後共産党は、中国社会の最底辺ともいえる農村から革命の原点を見直していくことになる。

武漢の夢はついえた。声明を出したのち、慶齢は密《ひそ》かに武漢を離れ揚子江を下っていった。

混迷のモスクワ

八月、慶齢は、シベリアを横断するモスクワ行きの列車に揺られていた。彼女は、国共合作を指導してきたソビエトの支持を得て、中国の革命運動を再建しようとしていた。彼女が身の安全を保ち、蔣介石に対する抗議運動を続けるには、他に頼るべき国は見当たらなかった。かつて孫文にとってロシアが最後の選択だったのと同じように、このときの慶齢にとってもロシアは残された最後の選択だったのである。

九月六日モスクワに到着した慶齢を歓迎の群衆が待ち受けていた。孫文未亡人宋慶齢の名前は、ソビエトの人々にも知れわたっていた。

慶齢が滞在した「シュガーパレス」は、現在はイギリス大使館となっている。ツァーリの時代に甜菜糖《てんさいとう》貿易の利益によって造られたため、こう名づけられた。ロシア革命後は、ソビエトの高官たちや外国の賓客のために使われていた。

「富と繁栄をひけらかすかのようなこの建物のどこに孫文夫人はいるのだろうか……」

慶齢を追って中国からモスクワにやって来たアメリカ人ジャーナリスト、ヴィンセント・シーアンはこう記している。

1927年9月、ソビエト入りした慶齢を歓迎するバクー市民

「私は孫文夫人に割り当てられた部屋に続く、彫刻の施されたドアの前に案内された。屋敷全体が巨大なのと同様、彼女の部屋もまた稀《まれ》に見る大きさだった。宋慶齢は部屋の真ん中で子どものように見えた。夫人は数年ぶりに西洋式の洋服を着ており、短いスカートが恥ずかしい様子だった。実際、洋服は彼女を一五歳ぐらいに見せていた。彼女の外見と運命はいつでも強烈なコントラストを見せていたが、この夜ほどそれが顕著に思えたことはなかった。部屋の向こう側が見えないほど大きな部屋は、この美しく繊細な女性が立ち向かわなくてはならない出来事の大きさを示すために選ばれたかのようだった」

シーアンがモスクワを訪れたのは、慶齢に会うことだけが目的ではなかった。慶齢と同行して中国からやって来たアメリカ人女性ライナ・プロームを、シーアンは深く愛するようになっていたのである。

ライナはもともとシカゴの裕福な穀物商の家に生まれた。その後ジャーナリストとして中国に渡ったライナは、慶齢との出会いを経て中国革命に深く共感するようになる。彼女は武漢で慶齢と行動を共にし、中国の現実を世界に訴えるための出版や広報活動に力を注いだ。そして、蔣介石のクーデターによって国共合作が崩壊したのち、慶齢と共に、モスクワにやって来たのだった。

ライナ・プローム

シーアンはライナと再会を果たす。しかしこのときライナは、自ら革命運動の現場に身を投じようとしていた。ロシア共産党に入党し、コミンテルンのもとで活動しようと心に決めていたのである。シーアンは記している。

「私は九月には彼女なしでは生きていけないと感じていると言っていた。その時点ではそのことに何の疑問も持っていなかった。レーニン・インスティテュートでも共産党でも、朝鮮でも日本でも、彼女の行くところならばどこへでもついて行くつもりだった。しかし一〇月には考え直した。……ライナはかつての彼女ではなくなっていたし、私とは違う世界に住んでいた。ブルジョワの特質をまったく失い、共産党員としても過激だった」

当時モスクワには世界各国から変革を志す若者たちが留学し、コミンテルンの指導の下でマルクス・レーニン主義を学んでいた。このソビエト留学の体験者によって、各国の共産主義運動は指導されていた。ライナもまた、こうした革命の息吹に魅せられたのだった。

中国の若者たちもモスクワで学んでいた。そのために、コミンテルンの支援で孫文の名を冠した大学も建設されていた。慶齢はこの大学に招かれスピーチを行い孫文の三民主義を説いたが、マルクス主義の立場に立つ学生たちの、孫文の革命思想に対する反応は冷ややかなものだったといわれる。

モスクワ到着後の慶齢について、シーアンは、当時アメリカ国務省にあてて送られた報告書のなかでこう述べている。

「孫夫人は悲しげに見える。中国に関する共産党のさまざまな宣言や政策について慶齢が公けに支持を表明するよう要求されて（彼女は）途方にくれている」

レーニンが死去したのち、ソビエトでは党の指導権をめぐってスターリンとトロツキーが激しく対立し、その対立はコミンテルンの中国政策にもそのまま持ち込まれていた。慶齢は、この権力抗争のなかに投げこまれ、それぞれの陣営から支持を求められていたのである。トロツキーが早くから国民党への追随をやめ、共産党独自の労農運動を展開せよと主張していたのに対し、スターリンは国共合作の維持に固執しつづけた。蔣介石のクーデターののち、党内にはスターリンの中国政策を批判する声が高まった。しかし、実権を握りつつあったスターリンは強引に批判を封じ、革命の挫折《ざせつ》は中国共産党指導者の誤った指導によるものだと総括した。スターリンにとって自らの過ちを認めることは、トロツキーに攻撃の口実を与えることにほかならなかったのである。

ソビエトの当局による、慶齢の行動記録が残されている。モスクワ到着後、彼女が面会した人物、訪ねた場所などが分刻みで記録された報告書の末尾は、こう結ばれている。

「孫文夫人がソビエトに好意的な立場を取るよう、彼女の言動については十分な注意を払わなければならない」

スターリンの主導で中国革命の総括が進められるなか、クレムリンは、中国革命の指導者である慶齢の言動に神経をとがらせていたのである。中国革命が政治抗争の道具と化していた状況は、慶齢の目にどのように映っていたのだろうか。

粛清と幻滅

一一月七日、雪の降りしきるなか、赤の広場ではロシア革命一〇周年を祝う盛大な式典が開かれた。慶齢たちも招待され、レーニン廟《びょう》の前でソビエトの指導者たちと並んで赤軍の行進を見守った。その帰途、慶齢は赤の広場に近い劇場の前で開かれている集会を見かけた。人の輪の中央にいる指導者らしき男が声高に演説を行っていた。ところが次の瞬間、暗闇のなかから突如警官たちが現れた。警官たちは群衆を蹴散《けち》らし、集会の指導者を捕らえ、連れ去った。

実はこの集会は、トロツキーの指示によって開かれたものだった。この日トロツキーは、自らの陣営のすべてのメンバーに指令を発していた。一一月七日の公式の祝典には参加せよ、同時にこの日全国の街路や広場をうずめる何百万の市民の目に、トロツキー派の思想と要求をはっきりとわかるように行動せよ。だが、反乱を扇動しているというような気配はもちろん、不服従を扇動しているようなけぶりさえ見せてはならない。「日和見主義打倒！」「レーニンの遺言を実行せよ！」「党の分裂を警戒せよ！」これが彼らの合言葉だった。よほど政治的な意識の高い者でなくては、それを見ても、公式のスローガンと区別することは不可能だった。しかしこれが、党内の実権を握りつつあったスターリンへの、ひそかな、そしてぎりぎりの抵抗だったのである。

だがスターリンはこれを見逃さなかった。示威運動の企ては、たとえどんなに無害なものであっても直ちに弾圧せよとの厳命を下していたのである。一一月一四日、緊急会議のために召集された中央委員会と中央統制委員会は、反革命デモと事実上の争乱を扇動する罪を犯したとして、トロツキーとジノヴィエフを党から除名した。慶齢が目撃したのは、ソビエト全土でくりひろげられた、スターリンによる反対派粉砕の一場面だったのである。

そしてその二日後、慶齢は、中国に深い理解を示したロシア人の死を知る。

アドルフ・ヨッフェ。かつて上海に孫文夫妻を訪れ、ソビエトによる中国革命支援の道を切り開いた外交官である。ヨッフェは、二〇年以上も前からのトロツキーの友人だった。ヨッフェが結核に冒されたため、トロツキーは彼を外国で療養させようと交渉したが、政治局は治療代一〇〇〇ドルは高すぎるとの理由でこれを拒否した。アメリカの出版社は、回想録を書く約束でヨッフェに二万ドルを支払おうと申し出た。しかしスターリンは彼に回想録を発表することを禁止し、医療の補助を断ち切ったのである。

長年の同志トロツキーの除名、迫害が自らに及ぶという恐怖。そのなかでヨッフェは、抗議の意を込め、自ら死を選んだのだった。

死の直前、トロツキーの除名を知ったヨッフェは、トロツキーに手紙を書いている。

「僕は自分の生涯を通じて、革命的政治家は身を退くべき時を知り……、自分が今まで尽くしてきた目的にとってもはや役に立ち得なくなったことに気づいたら、時を失せず身を退くべきである、と確信してきた。人間の生命は、ただ無限なもののために費やされるかぎり意義を持つという見解を、僕が抱いてからすでに三〇年以上になる。……われわれにとって無限なものは人類である。たとえ人類の生命が終わりになるとしても、それは非常に遠いはるかなことであって、われわれは人類を絶対的に無限なものと考えていいだろう……われわれの時代に人類の利益のために達成されたことは、すべて何らかの仕方で未来の時代まで生き残るだろう。そうすることによって、われわれの存在は、それが所有し得る唯一の意義を獲得するのである」

ヨッフェはペンを置くと拳銃を取り上げ、自ら頭を撃ちぬいた。そして、ヨッフェの葬儀に参列したトロツキーの弔辞は、トロツキーがソビエトの人々の前で行った最後の演説となったのである。慶齢がモスクワで目撃したのは、世界革命の中心ソビエトの変質の瞬間であった。

慶齢のモスクワに対する幻滅をうかがわせる手紙が、彼女の友人であるイスラエル・エプシュタインさんのもとに残されている。

「スターリンは私たちを支援しようとはしていませんでした。彼は、蔣介石がやりたいようにやらせようと考えていたのです」

現在北京に住み、中国全国政治協商会議の常務委員をつとめているエプシュタインさんは語る。

「そのとき慶齢はひどく失望したそうです。中国革命を支援してくれる国がどこにもなくなってしまったのです。スターリンは非常に現実的な人間でした。中国革命が進展している間は強力に支援しました。しかしその後状況が変わると、こんどは彼は、中国には深入りすべきではないと考えるようになったのです」

国共合作……共産党による武装蜂起《ほうき》……蔣介石に対する暗黙の支持……。左右に激しく旋回するコミンテルンの方針によって、中国革命はその後も複雑な軌道を描いていくのである。

その年の秋、慶齢はクリミア地方で二週間の休暇を過ごした。その帰途のこと、たまたま同じ列車に乗り合わせたアメリカ人が、慶齢に突然話しかけてきた。

「ご結婚おめでとうございます」

訝《いぶか》しげな表情を浮かべた慶齢の目の前で、男は「ニューヨークタイムズ」を取り出し、一面に掲載された記事を指し示した。そこにはこう記されていた。

「孫文夫人が国民党の陳友仁と結婚する。ソビエト政府は二人のために新婚旅行をプレゼントしようとしている」

根も葉もないデマだった。陳友仁は国民党左派の指導者の一人で、武漢以来慶齢と行動を共にしてきた。確かに慶齢は陳を信頼していたが、そこに男女の愛情が入りこむ余地はなかった。誰がどのような目的でこのような話をでっちあげたのか？　慶齢が孫文夫人でなくなることを誰が望んでいるのか？

ヴィンセント・シーアンによれば、このスキャンダルに傷ついた慶齢は体調を崩し、その後三週間も寝込んでしまったという。

そして、ようやく立ち直ろうとしていたそのとき、慶齢に衝撃を与えるもう一つのニュースが報じられた。こんどはデマではなかった。慶齢の姉靄齢が上海の自宅で記者会見を開き、蔣介石と妹の美齢との結婚を発表したのである。

美齢の結婚

蔣介石は早くから宋姉妹への接近を図ってきた。孫文の生前、すでに蔣介石は、美齢との結婚を取り計らってもらえるよう孫文に申し入れている。しかし、孫文の夫人だった慶齢は、強硬にこれに反対した。

「広東だけで二、三人の女がいるような男と結婚させるくらいなら、妹は死んだほうがましだ」

ところが蔣介石は、このときの慶齢の言葉を知ってか知らずか、孫文が亡くなると、こんどは未亡人となった慶齢に結婚を申し込んでいる。慶齢はのちにこの件についてアメリカのジャーナリスト、エドガー・スノーに語っている。

「これは愛情ではなく政治だと考えて私は断りました」

南京の第二檔案館《とうあんかん》に蔣介石の日記が保存されている。一九二〇年以降断続的に記されている日記に、はじめて宋姉妹の名が登場するのは、二六年の六月三〇日のことである。

「今日午前、宋氏大三姉妹を訪ねる」

その二日後の七月二日の記述。

「今日午前、美齢を訪ねた。彼女は午後には上海に帰ってしまうそうだ。名残り惜しくてならない」

だが、日記のなかには、かつて蔣介石が愛したもうひとりの女性の名が最も頻繁に登場する。陳潔如。一九〇六年に生まれ、一九二〇年、一四歳の若さで蔣介石の妻となった女性である。

「潔如のことを長く考えた。男女の問題はなぜこれほど人を困らせるのか」

「昨夜は潔如のことを思って夜も眠れなかった。今日は精神散漫で何も手につかない」

しかし蔣介石は、その後自らの手で、日記のなかの陳潔如にまつわる記述を、ことごとく塗りつぶしている。

アメリカのスタンフォード大学に、後にアメリカに渡った陳潔如が記したというメモワールが保存されている。そこには、蔣介石と美齢が結婚に至るまでのいきさつが克明に記されていた。このメモワールによれば、二人の結婚を推し進めたのは靄齢であった。

靄齢は蔣介石にこう語った。

「あなたは今や重要人物になりつつある。だがその地位はもろい。昇りつめるのも沈むのも、おなじようにあっけないものなのだ。

共産党の陰謀があなたを狙《ねら》っている。いずれあなたは権力を奪われてしまうだろう。だが私はあなたに協力したい。子文を通じて上海の銀行家たちから資金を引き出し、あなたに提供しよう。武器を買うための金も援助しよう」

靄齢は、蔣介石に資金面の支援を約束する一方、美齢に対しては蔣介石と結婚するよう勧めた。そして靄齢は、蔣介石が権力を握った暁には、宋一族を政府の要職につけることを求めたのである。

陳潔如によれば、この会談ののち蔣介石は彼女にこう言ったという。

「五年間だけ身を引いて、私と宋美齢を結婚させてくれ。そうすれば北伐を継続する助力を得ることもできるし、武漢政府から脱して独立できるのだ。これは、政略結婚にすぎない」

潔如は結局この懇願を受け入れ蔣介石のもとを去り、アメリカに渡った。しかしその後、蔣介石からの音信はぷっつりと途絶えたのだった。

第三章
王朝の栄華

美齢・蔣介石の結婚記念写真

「宋王朝」の誕生

一九二七年一二月一日、上海で蔣介石と美齢の結婚式が行われた。フランス租界のホテルで、内外の来賓を迎えて催された盛大な披露宴の模様は、海外にも報じられた。

「蔣介石が孫文夫人の妹と結婚　三〇〇〇人がウエルズレイの卒業生の結婚式を見物

上海でも最高級の外資系ホテルのマジェスティック・ホテルの舞踏会場には、外国のすべての領事館員や陸・海軍の高級将校とともに数百人の友人が招かれ、広い会場は三〇〇〇人を超す人々で埋めつくされた。蔣介石将軍は義兄になる孔祥熙博士に付き添われて会場に現れた。新婦を一目見ようと背伸びをしたり、椅子の上に上ったりする人々のなかを、新婦は宋子文とともに新郎の後に続いた。国の内外の二〇人のカメラマンがフラッシュを焚《た》く前で、二人は複雑な儀式を優雅に進めた。最初に二人で、国民党旗の下の壇上に飾られた孫文博士の写真に向かって三回深々と頭を下げた。続いて古式ゆかしい誓約が行われた。二人は結婚の誓いの言葉を読み上げたのち、向かいあって互いに礼を交わした。この結婚によって、この若い指導者は、中国革命を推進するうえで最も影響力を持つ家族と結びつくことになる」

その日の午後、フランス租界にある宋家の屋敷で、一族だけの内輪の儀式が行われた。かつて宋家の三姉妹が顔を揃《そろ》え、団欒《だんらん》のひとときを過ごした屋敷である。しかしいま、次女の慶齢は、遠くモスクワで失意のうちにあった。この日、慶齢を除くすべての宋一族、孔祥熙一族、蔣介石一族が一堂に会し、蔣介石と美齢の結婚を祝った。

宋姉妹への接近を求めつづけてきた蔣介石。その長年にわたる願いは、靄齢の助力を得て実りの日を迎えたのだった。姉妹の従兄弟で、この結婚式に参列していた倪吉士さんは語る。

「靄齢は蔣介石こそ一族の将来を託すに足る英雄だと思っていました。だからこそ、美齢と蔣介石とを取り持ったのです。靄齢のねらいは宋一族、孔一族、蔣一族、この三つの一族を一つに団結させることでした。つまり、国民党の力、中華民国の力をさらに強く、強固なものにしようと彼女は考えたのです。彼らは自分たちがよくなることが、すなわち中国がよくなることなのだと考えていました。自分の力が強大になれば、自分が指導する国もよくなると考えていたのです」

二人の結婚式の翌週の一二月一〇日、蔣介石は国民革命軍総司令の地位を回復し、続いて中央執行委員会主席に選任された。蔣介石の権力への復帰に時を合わせて、北伐が再開

宋一族。前列左より美齢、母、靄齢。後列左より子良、蔣介石、孔祥熙、子安

された。山西の軍閥閻錫山《えんしゃくざん》は、孔祥熙の仲介によって蔣介石と同盟を結び、北京に進攻した。

一九二八年一〇月一〇日、辛亥《しんがい》革命を記念する「双十節《そうじゅうせつ》」を期して、蔣介石は南京を首都に国民政府の発足を正式に宣言した。その二か月後、蔣介石と対立してきた軍閥の総《そう》帥《すい》・張学良も南京政府に忠誠を誓った。孫文以来の悲願だった中国統一が、ここに、蔣介石によって達成されたのである。蔣は国民政府主席に就任、また孔祥熙は工商部長に、宋子文は財政部長に任ぜられるなど、南京政府の要職を宋家・孔家の一族が占めた。人々は、この家族・一族による支配体制を「宋王朝」と呼んだ。

蔣介石は、宋・孔両家の財力と結びつき、「孫文の義弟」という名誉も得た。敬虔《けいけん》なクリスチャンとして知られる美齢との結婚を欧米列強も歓迎した。反帝国主義と反キリスト教が結びついていた中国に、キリスト教に理解を示す新たな指導者が誕生したのである。その欧米の期待に応《こた》えるかのように、一九三〇年一〇月、蔣介石自身も洗礼を受けクリスチャンとなった。

それはさまざまな価値観の奇妙な混淆体《こんこうたい》であった。一方には禁欲と奉仕を旨とするキリスト教、もう一方にあくことなく、蓄財を追求する財閥・資本家の精神、さらにソビエトから導入された権力集中のシステム……。宋一族という血脈が、こうした異質な価値観を結び合わせていた。慶齢ひとりを排除して「宋王朝」は完成したのである。

遠い中国

モスクワへの幻滅、そして美齢の結婚……慶齢にとって、すべてがままならぬつらい冬だった。

一一月二一日、慶齢の友人ライナ・プロームが亡くなった。三三年の短い生涯だった。彼女はしばしば頭痛を訴えていたが、それが死に至る病だとは慶齢はもちろん、ライナ自身も知らなかった。慶齢は武漢で彼女のためにドレスをデザインしてあげたことがあったが、死の床のライナはそのドレスに身を包んでいた。

葬儀の日の模様をシーアンは記している。

「私たちは火葬場までの道を何時間もかけて歩いた。とても寒い日だった。歩きながら、私は寒さに身を縮ませている孫夫人の姿に気がついた。中国からの収入も絶たれていたのに、どうしても他人からの援助を受ける気になれずにいた彼女は、冬用の衣類をまったく持っていなかった。荒涼とした凍《い》てついた道を彼女は薄い上着だけで歩いていた。ソビエトの外交部が彼女のために提供した車が葬列の後ろに続いていた。少なくとも車の中は暖かいはずだった。私は車に乗るように勧めたが、彼女は拒み、美しい顔を腕で覆うようにしてうつむいたまま、モスクワの街を一歩一歩進んでいった。彼女自身病み上がりで、ひどく顔色が悪かった。あの日、すべてのものは冷たい霧に霞《かす》んでいたが、宋慶齢ほど孤独な亡命者は他にいなかった。調子はずれの楽隊が、ショパンの葬送行進曲の代わりに革命葬送行進曲を奏でていた」

一九二八年春、慶齢はモスクワを去りベルリンに向かった。中国革命に対する支援の可能性が絶たれた今、慶齢がモスクワにとどまる意味はなかった。

ベルリンは当時、ヨーロッパの反帝国主義運動の中心であり、各国からの亡命者が集まっていた。慶齢はここに亡命していたかつての同志と共に、新たな革命勢力を組織しようとしていたのである。

慶齢は、モスクワのドイツ大使館に対し、ドイツ滞在の目的は眼病の治療であるとしている。しかしドイツ大使は、本国にこう打電している。

「中国の民族運動において、孫文夫人が、共産主義の側に立って果たしている役割、及びモスクワの党関係者との彼女の密接な交流から見て、ドイツでの彼女の行動はそれとなく監視されるべきものと考えます」

慶齢を監視していたのはドイツ政府だけではなかった。在独アメリカ大使館から国務省長官への報告。

「半年間のモスクワ滞在で、慶齢はボリシェビズムやボリシェビキのプロパガンダに幻滅した。彼女は孫文の三民主義によって中国を救おうとしている」

第一次大戦に勝利したアメリカは、極東の新たな国際秩序の主宰者として、中国における列強の機会均等をうたった「ワシントン体制」を作り上げた。蔣介石によって統一された安定した中国は、この「ワシントン体制」にとって歓迎すべきものだった。だが、蔣介石に背き、共産主義勢力と接近する慶齢の動きに、列強は「ワシントン体制」とは相容れないものを感じ、神経を尖らせていたのである。

慶齢に対しこの時期、講演や出演の依頼がたびたび寄せられている。アメリカの放送局は、五万ドルという高額の出演料を提示した。しかし慶齢はこの依頼を断っている。慶齢が惧《おそ》れていたのは、彼女のアメリカでの発言が、結果として蔣介石を利することになるのではないかということだった。在独アメリカ大使館はこう報告している。

「もし慶齢がアメリカで講演したとしても、それは政治的な内容のものとはならないだろう。彼女の家族があまりにも深く国民党と関わっているため、彼女は国民党を攻撃できないだろう」

慶齢が期待されていたのは、国民党に対する攻撃ではなく、ソビエトや共産党に対する批判的発言だった。少なくともその点において、蔣介石と列強の利害は一致していたのである。

宋家は中国のために

蔣介石の都・南京では、巨大な陵墓の造営工事が急ピッチで進められていた。北京にある孫文の遺体を移し、埋葬するための中山陵《ちゅうざんりょう》である。それはもともと孫文の遺志によるものだったが、蔣介石にとっては、彼が孫文の正当な後継者であることを国の内外に示すまたとないチャンスだった。

一九二九年春、蔣介石は、ベルリンの慶齢のもとに使者を派遣した。慶齢の二番目の弟・子良である。子良に与えられた使命は、慶齢に帰国を求め、中山陵で行われる埋葬式に出席させることにあった。

子良の説得が功を奏したのか、慶齢はついに帰国を決意する。三月二六日、蔣介石は慶

中山陵に向かう宋家の人々

齢を国民党中央執行委員に再び任命し、彼女の帰国に備えた。

しかし五月、慶齢はベルリンで声明を発表した。

「私は帰国する。しかしその目的は孫博士の遺体を、彼が埋葬することを望んでいた紫金山に移す式典に出席するためである。国民党の政策が、孫博士の基本原則に完全に一致するまで、私は党のいかなる仕事にも、直接的にも間接的にも参加することはできない」

子良は、この声明が蒋介石の逆鱗《げきりん》に触れることを恐れ、慶齢に声明の発表を思い止《とど》まるよう懇願した。しかし慶齢はこう答えたという。「宋家は中国のためにあるのであって、中国が宋家のためにあるのではない」

五月一六日、慶齢は武漢を離れてから一年九か月ぶりに中国に帰ってきた。孫文を葬った北京郊外の璧雲寺に慶齢は詣でた。四年前この寺で、孫文を失い悲しみに暮れる慶齢を、誰にもまして励まし支えてくれたのは姉と妹だった。が、今や三姉妹の心は遠く隔たっていた。

孫文の遺骸は、特別列車に乗せられて北京を離れ南京に向かった。列車が駅に停車するたびにプラットホームには沿線の人々が詰めかけた。革命の父孫文の偉業をしのび、その後継者としての蔣介石をたたえるためのイベントが、中国全土でくり返された。六月一日、南京で、孫文の遺骸を中山陵に埋葬するための「奉安大典」が催された。紫金山の中腹、三九二段もの石段を、輿《こし》に乗せられた孫文の遺骸が上っていった。海外からも多くの来賓が招かれ、国家的事業の完成を見届けた。式典を主宰するのは、もちろん蔣介石、そしてそのかたわらには夫人の宋美齢、孔祥熙・靄齢夫妻、宋子文など「宋王朝」の面々が顔を揃えていた。

「ニューヨークタイムズ」は伝えている。

「慶齢はただひとりで誰にも支えられずに立っていた。蔣介石の一団とは遠く離れていた。蔣介石に彼女の手を取らせようとはしなかった」

蔣介石は中山陵の近くに慶齢が暮らすための家まで用意し、彼女を南京に引き留めようとした。しかし慶齢は、式典の翌日上海にもどり、かつて孫文と暮らしたモリエール街の屋敷に引きこもったのである。

革命とは、そして革命家とは?

六月一七日、慶齢の屋敷を美齢が訪れた。美齢は慶齢に、国民党中央執行委員会への出席を求めた。蔣介石は、孫文夫人宋慶齢を国民政府に引き入れることを、なおも断念していなかったのである。

しかし、慶齢はこの申し出を拒絶した。慶齢が欠席したこの委員会では、三民主義に反対するような言論の禁止と、すべての組織が国民党に従うことが定められた。蔣介石は、国民党一党独裁による強権政治を目指す姿勢を示したのである。

八月一日、慶齢は沈黙を破った。ベルリンの国際反帝連盟あての電報という形式をとって、彼女は表明した。

「反革命的国民党指導者の性格が、今日ほど恥知らずなものとして明らかになったことはない。国民革命を裏切ったことで彼らは帝国主義者の道具に堕落した。しかし、中国の民衆は抑圧を恐れることなく、偽りに満ちたプロパガンダに惑わされず、ひたすら革命の側に立って戦うであろう。テロリズムは、血塗られた反動に打ち勝とうとするわれわれの決意をさらに確固たるものとするだけだろう」

英米の新聞は、蔣介石とのトラブルを怖れ、慶齢の声明を改竄《かいざん》して報じ「慶齢はテロリストの代弁をしている」とコメントを加えた。中国の新聞は慶齢の訴えを黙殺し、掲載すらしなかった。だが彼女のアピールは、左派の活動家によって地下出版され、中国の都市部に伝えられていった。

慶齢の家は監視され、訪問客は尾行された。彼女の家からタイプライターの音が聞こえるのは、モスクワに秘密電報を打っているのだという噂が流された。

八月一〇日、慶齢の屋敷を、蔣介石の側近のひとり戴季陶《たいきとう》が夫人を伴って訪ねた。戴はかつて孫文の秘書をつとめ、亡命先の日本で革命組織の再建にもあたった人物である。しかし孫文の死後、彼は右派の理論家として頭角を現し、孫文主義を儒教精神の継承と位置づけて共産主義と峻別《しゅんべつ》した。蔣介石は、慶齢を思想的・理論的に屈服させるために、戴を差し向けたのだった。

慶齢は後に、この日、戴との間で交わされた長く熱い論争の模様を書き残している。

戴夫人は、なぜ、南京に行かないのですかと問いました。私は答えました。葬儀はもうすみました。どうして南京へ行く必要がありましょう。彼女はつづけて言いました。御陵はとても美しいし、あなたのお住まいの一切の設備も整えました。私たちはみんな、あなたがあそこへいらっしゃることを願っています。そうなれば、そこからあなたも政府へいろいろ貢献することができるでしょう。私は彼女のこざかしい話に、率直に答えました。

私には、政治屋の生活は肌に合わないのです。それに、上海にいてさえ言論の自由のない私に、どうして南京でその希望が持てるのでしょう。

このとき、戴氏は口ごもりながら半分腰を浮かせ、私に見せようと、ポケットから一枚の折りたたんだ紙を取り出しました。私にはそれが何かはっきりとわかりました。私はまっこうから彼らに言いました。それは私が、反帝連盟に打ったのに、南京政府が発表を許さなかった電報のようですね。

戴　これは、本当にあなたがここから打たれたものですか。あなたのような地位にある方が、このような態度をとられるとは信じられませんね。本当に理解しがたいことです。まことに、重大な出来事だといわざるを得ません。

宋　それが私の率直な態度です。孫先生がこのような状況の下にいらしたら、やはり同じことをしたでしょう。この電報が共産党の陰謀だという噂を流すなんてあなたも愚かなことをしたものです。私には証明できます。一字一句、みな私自身が書いたものです。

戴　共産党がモスクワの指導を受けて中国全土で殺人や放火を行っているこの時期に、あなたはなぜこのような電報を打って、政府を攻撃なさるのですか。私たち、私人としての関係はさておいて、政府としては、このような重大な過失を軽視するわけにはいきません。たとえ政府が間違っているとしても、あなたには公けの場でものをいう権利はないのです。党の規律は守っていただかねばなりません。第一、この電報は外国人に宛てられている！　これでは政府と民族を貶しめているのも同然ではありませんか。

宋　私はあなた方の党には属していません。あなた方は、私の名前を中央執行委員会の名簿に並べて下さっているようですけれどもね。それでいて私にものを言う権利がないとはどういうことですか！　民衆をだますために私の名前を名簿に載せたのですか？　私を侮辱しようとしているようですが、南京政府が中国人民を代表すると考えている人などおりません。あなた方は中国の革命の歴史に汚点を残したのです。いつか人民がその清算を迫ることでしょう。

戴　あなたはたいへん、短気を起こしていらっしゃる。孫夫人、革命は一日では成し遂げられないのです。破壊活動や、政府やその指導者たちの攻撃ばかりに精力を費やさないで、われわれに協力することこそがあなたの義務ではありませんか。あなたのお怒りやお気持ちもよくわかります。ここ数年のつらい経験の結果そうお感じになっているのでしょう。けれども、孫先生は普通の人ではありません。すべての人を超越した存在だったのです。天から並はずれた知恵と才覚を与えられていました。彼の理想は、現代よりも数世紀も先を行っていたのです。あなたにはもちろんよくお分かりでしょう。三民主義が、数世代のうちに実現するなど望めないということを。三〇〇年、四〇〇年を必要とするかもしれないのですよ。

宋　あなたが今引用したのは、すべてあなた方が勝手に修正した三民主義です。孫先生は自ら言われました。もし、皆が大義に忠実であれば、革命は二、三〇年のうちに必ず成功するだろうと。実際、自分が生きているうちに革命を遂行するおつもりだったのですよ。
戴さん、あなたのおっしゃることは病的です。健康を害したせいで悲観的になっているのです。あなたはもう、革命と正義と変革を熱望していた青年戴季陶ではないのですね。私はあなたに警告します。孫先生をまるで孔子や聖人のような偶像に祀り上げるのはやめて頂きましょう。思想も行動も、終始革命家のものであった孫先生の思い出に対する侮辱です。残念ですが、あなたはすっかり堕落しました。
戴　まるっきり反対ですよ。私の精神は年とともに進歩しました。社会の状況を改め、人々の生活を改善する、それが革命ではないとおっしゃるのですか。
宋　国民党は、もともと革命のための組織として作られたのです。絶対に改良派の団体ではありません。でなければ、それは進歩党とでも呼ばれるべきです。
戴　ではお尋ねしますが、あなたはどのような人を指して革命家と言うのですか。
宋　それは一切の現状を不満とし、旧社会に代わって、広範な人民に利益をもたらす新しい社会秩序を建設するために力を尽くす人です。では、こんどは私がお尋ねしますが、あなたのおっしゃる革命的成果とはどんなものですか。
戴　あなたはどうも、政府各部の進歩にまるで注意なさっておられないようですね。昔の老朽化した建物を取り壊して新築し、同時に、新しい鉄道を計画して交通を改革し、人民の苦しみを救いもしました。南京のすばらしい中山大路をご覧になったでしょう。幾多の障害と困難な状況の下での価値ある実績ではありませんか。

宋　私は、あなた方が革命家の若者を数万人も理由もなく殺したということ以外知りません。彼らこそ腐敗した官僚に取って代わるはずだったのに。人々の絶望的貧しさや軍閥の利己的な権力闘争、飢えている民衆からの搾取。それ以外何も眼に入りません。あるのはただ反革命的残虐行為です。中山大路の建設にしても、それが一体誰のためになるのですか。自動車やリムジンを乗り回すあなたのような人たちのためではありませんか。あなた方は、自分たちの道路建設の都合から、幾千幾万の貧しい人民の唯一の生活の場をとりこわしておきながら、胸の痛みなどちっとも感じていないのでしょう。

戴　これはまたあまりにも無分別でばかげたいいがかりですね。ならば、どうすれば朽ちた小屋や建物を壊さずに建設ができるのですか。

宋　誰のための建設なのですか。金持ちがより金持ちになり、中国の何百万もの飢える民衆の血を絞るために国民党は作られたとでもおっしゃるのですか。そんなことのために孫文先生は四〇年間も戦い続けたのですか。

戴　あなたは、人間は別に進歩を求める必要はない、過去の時代に返って、歩けばいいので、自動車は不要だといわれるのですか。

宋　不条理なことを求めているのではありません。しかし、自分たちの生活水準をそれ以上上げるのはお止めなさい。もう十分贅沢で、普通の人の何百万倍も良い生活をしているではありませんか。数年前には貧しかった軍閥や官僚が突然リムジンで練り歩き、新しい姿のために租界の高級住宅を買いあさってるじゃありませんか。そのお金はどこからきたのですか。孫博士が生きていたらそんなことをお許しになると思いますか。もしあなたに良心というものが残っているなら、国民党は革命的意味を完全に失っていると認めざるを得ないでしょう。

戴　蔣介石は孫博士の計画を実行するために最大の努力をしています。彼の肩には責任が重くのしかかり、克服しなければならない障害に取り囲まれています。忠実な同志がみんなで彼を支えるのは当たり前のことじゃないですか。状況は非常に困難で複雑なのです。実際、もしあなたか汪兆銘に政権を譲り渡しても、状況は悪くはならないまでも、よくはならないのは確実です。

宋　私が蔣介石に取って代わろうなんて野心を持っていないことは他の人たちにはわかっています。しかし、蔣介石しか状況を改善できない、というのはあなたの個人的な意見でしょう。国の繁栄は独占できないし、ましてや個人の私有財産ではないのです。あなた方の根本的な間違いはそこです！　孫博士の計画を遂行するのに、いったい蔣介石や彼の部下が何をしていると言うのですか。彼の最後の遺言を、あなた方は毎日お経のように唱えながら、実際はそれを裏切っているのです。あなた方は集会を禁止し、出版を禁止し、組織作りを禁止して、民衆を目覚めさせることができるのですか。

戴　湖南と広東の大衆運動がどんなだったかお忘れになったのですか！　あのときの恐怖はまだ記憶に新しいはずです！　自由がどういう風に濫用されたかご覧になったでしょう！　あんな集会からは、混乱や騒乱しか生まれません。中国人はこの点では何世紀も遅れているのです。訓練を受けた国民党の党員の間でさえ、集会で混乱や不和が起こるのです。無知文盲の大衆がどうして集会を催し、組織できるとお考えになるのですか。まず一定期間の指導が必要なのです。

宋　あなたがおっしゃっていることは、帝国主義諸国が、領事裁判権の明け渡しや、不平等条約の廃止を阻止するために根拠としたことと全く同じだということがわかっているのですか。彼らは、中国は何世紀も遅れていて法や秩序には無知で、自分たちで統治するのは無理だから「ある一定期間の指導」が必要になると言っているのです。……戴さん、矛盾していませんか。

戴　残念ですが、矛盾しているのはあなたの方だ。あなたは人民の福利を増進し、人民の苦痛をとりのぞこうと考えながら、一方では、人民の敵と戦うことに反対されている——腐敗しきった広西省の軍閥ども、彼らはみな革命をはばむ障害物です。

宋　増税や弾圧、命を失うこと以外に、軍閥同志の争いから人々は何を得るのですか。

戴　あなたは、平和を望んでいるのに軋轢《あつれき》を作りだし、中国や中国人のために働いている人を攻撃するおつもりだ！　今こそお互いの意見に耳を傾けようじゃありませんか。あなたのご意見も拝聴しますから、あなたも多数派の意見に従って下さい。

宋　私は墓地でしか見つからないような平和にも、時間の浪費でしかないあなたの説得にも幻想を抱いてはいません。

戴　南京に一度いらっしゃいませんか。ご家族ともご一緒できるし、そのほうがお幸せでしょう。私たちはみんな人間です。お互いの善意と思いやりを楽しもうじゃありませんか。

宋　幸福を望むのであれば、私たちの希望と犠牲が葬り去られる胸の痛くなるような場面に立ち会うために戻ることなどしません。

戴　とにかく、これ以上声明を出すのはご遠慮いただきたいですな、孫夫人。

宋　戴さん、私を黙らせる道は一つだけですよ。撃ち殺すか、投獄なさい。そうなさらなければ私の非難が間違っていないことを認めたことになりますよ。何をなさるにせよ、私のように公明正大になさい。くだらない手を使ったり、スパイをつけたりするのはやめなさい。

戴　私は南京に帰りますが、いずれまたお目にかかりましょう。

宋　もう、話し合うこともありません。われわれのちがいは、あまりにも大きすぎるのです。

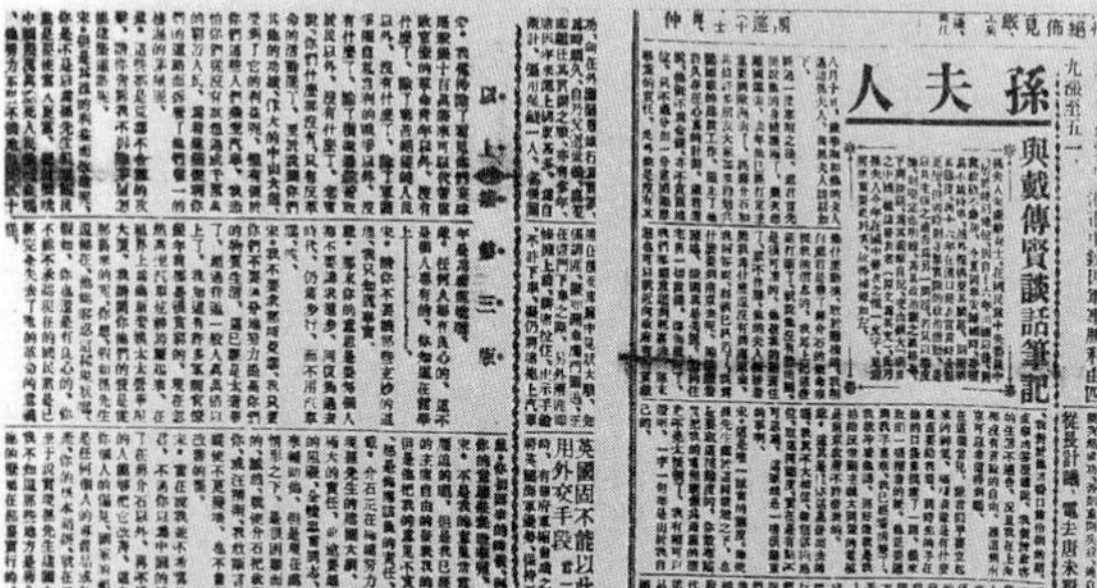

孫夫人

與戴傳賢談話筆記

47

慶齢と戴季陶の議論を掲載した新聞

慶齢は当時この論争の模様を新聞に発表している。彼女は、戴季陶の主張と対比することによって、自らの立場と思想を改めて明確に示したのだった。

美齢と蔣介石の結婚によって完成した「宋王朝」。その礎となったのは慶齢と孫文との結婚であった。だが慶齢は、この「宋王朝」との対決の姿勢を終生崩すことはなかったのである。

第四章
王朝のファーストレディ

上海の孔祥熙宅でくつろぐ美齢と蔣

美齢の幸福

現在の上海の市街地から東北へ二時間ほど車で走ると奇妙な街並みが広がっている。租界とは異なる、中国風の彩色や装飾を施した建造物が点在しているのである。

じつはこの一帯は、かつて蔣介石が夢見た「大上海計画」の名残りである。

蔣介石は、南京に国民政府を設立した直後、上海を南京政府直轄の特別都市に指定した。蔣介石はそのとき壮大な構想を抱いていた。当時原野だったこの地に巨大な都市を生み出し、欧米の支配下にある租界を凌駕《りょうが》しようというのである。

市庁舎・学校・博物館・スタジアムなどが次々と建設された。あたかも清の時代を思わせるデザインがふんだんに取り入れられた。清王朝を打倒して成立した中華民国は、皮肉なことに、紫禁城《しきんじょう》の王朝建築のなかに自らの伝統を見出したのだ。

上海市庁舎の一階の床には、「大上海」の地図が描かれた。飛行機の形に描かれているのが「大上海」の中心部である。それは「宋王朝」のあらたな伽藍《がらん》が築かれるべき土地であった……。

「宋王朝」のファーストレディとなった蔣介石夫人美齢。彼女は夫と共に北伐の前線を視察し、また夫の代弁者として、欧米の国々に蔣介石への支持を訴えた。アメリカ仕込みの英語と、クリスチャンとしての素養が彼女の武器となった。

アメリカで出版された彼女の書簡集の一節。

「国民政府主席として、また国民革命軍総司令として、私の夫は軍閥の謀反を阻むために全力を尽くしています。しかし将軍たちは封建的観念にしがみつき、私利私欲に走っています。わが国が直面している災難を思うと、私の胸は痛みます」

しかしその一方で、権力を握った蔣介石夫妻の豪奢な暮らしぶりに対し批判も高まっていた。当時出回っていた宣伝ビラが、アメリカ国務省に報告されている。

「四億同胞に涙で告げる書

宋美齢が毎年フランスから買いつける化粧品は四〇万ドルと決まっている。彼女のトイレットペーパーは一巻き二〇ドル、ダイヤをちりばめた靴は一足八〇万ドル、ガウン一着五〇万ドルである。このような散財ぶりは過去に例をみない……」

一九三一年九月一八日、満州事変が勃発《ぼっぱつ》し、日本軍は中国大陸で本格的な軍事行動を開始した。しかし共産党勢力の拡大に脅威を感じ取っていた蔣介石は、日本との直接的な武力対決を避ける方針をとった。

「国家救済の最善策は、国家の平和的統一にあり、中国国民はまず、政治的統一と経済開発に専念し、その後で、日本に立ち向かうべきである」

一九三三年、蔣介石は江西省南部を中心とする共産党地区に対し本格的な包囲掃討作戦を開始した。陸軍一〇〇万人、空軍二〇〇機を動員した国民党軍の攻勢を前に、共産党はついに根拠地である瑞金《ずいきん》の放棄を決定、西南方面へ移動を開始した。二万五〇〇〇里の行軍の果てに、毛沢東がその指導権を確立することになる「長征」の始まりである。

この包囲掃討作戦のさなか、宋美齢は蔣介石とともに前線を視察している。彼女は前線からアメリカの友人にむけて手紙を書き送っている。

「夫とともに、福建省で共産党の盗賊どもとの戦いを視察してきました。ある日、二人で山道を散歩していると、白い梅の花が咲いていました。中国では梅の五枚の花びらは、五つの幸せを運んでくるといわれています。彼は枝を二、三本手折りました。

私が部屋に戻ってみると、その梅の花が竹籠《たけかご》に入れて飾られていました。これこそ本当の新年の贈り物です。

私がなぜ戦地の危険にもかかわらず、蔣と行動を共にしているのか、あなたにもおわかりですよね。彼は兵士の勇気と、詩人の繊細さを合わせ持った人物なのです。……」

美齢と蔣介石

現在の中国で、蔣介石夫妻の暮らしぶりやその人となりについて語ってくれる人はきわめて限られている。長い時間が過ぎ去ったためばかりではない。南京政府の関係者の多くは蔣介石とともに台湾に移った。そして大陸にとどまった人々は、「人民の敵」である蔣介石との関わりについて口をつぐんできた。一九六五年から一〇年間に及んだ文化大革命の嵐は、人々の沈黙をさらに頑《かたく》なものとした。この時期、紅衛兵たちは、かつての国民党関係者に激しい攻撃を加えた。家族一族のなかに国民党の関係者がいるというだけで「反革命分子」「走資派」の烙印を押され、さまざまな迫害を受けたのである。

最近になって中国が改革開放の路線に大きく舵《かじ》を切ったことによって、ようやく人々は蔣介石について語りはじめた。そのうちの一人、南京に住む侯明高さん。侯さんは、蔣介石夫妻に仕え、身のまわりの世話をしていた。

「蔣介石は厳格で近寄りがたい雰囲気を漂わせていましたが、宋美齢は明るく気さくな人柄で私たちは皆好感を持っていました。二人は正午には昼寝をし、昼寝から覚めるとクラシック音楽を聴きました。蔣介石は美齢の影響でクラシックを聞くようになったのです。二人とも映画が大好きでした。とくにアメリカ映画、『風と共に去りぬ』なども見ていましたよ。

一度だけ美齢の部屋に、こっそり入ったことがあります。引き出しを開けてみたら何百という時計が入っていました。みなプレゼントされたものです。そのとき私は、こりゃ毎日時計を取り替えたとしても、一年中ちがう時計をしていられるなと思ったものです」

日本の侵略は拡大の一途を辿《たど》っていた。「抗日」より「反共」を優先する蔣介石政権に対し、中国各地で抗議運動が燃え上がった。侯明高さんの話からはこうした動きに神経をとがらせていた独裁者の表情がうかがえる。

「蔣介石夫妻の警護はえらく厳重でした。会議や何かで出かける時には必ず副官にお湯を二袋持たせていました。けっして人の家の白湯を飲まなかったのです。どんな身内の宴会でも、夫妻の席の料理だけは、彼らの家のコックが作っていました。それ以外のコックは誰も信用していなかったのです」

抗日統一戦線と慶齢

蔣介石は抗議運動に対して容赦ない弾圧を加えた。特務機関によって、わずか一年間に四五〇〇人もの人々が逮捕、虐殺された。これに対し、美齢の姉慶齢は、民権保障同盟を設立し、言論の自由と政治犯の釈放を求めて活動をくり広げた。一九三五年五月、慶齢は、一七七九人の連名で「中華人民対日作戦基本綱領」を発表している。

「国民党や国民政府に頼って抗日救国を実行しようと考えてももはや望みはない。中華民族は自ら武装自衛し、自分を救う以外にない」

しかし、反蔣介石運動の先頭に立っていた中国共産党は、やがてその路線を大きく転換していく。

八月一日、共産党中央は「抗日救国のため全同胞に告げる書」を発表した。

「すべての者が内戦を停止し、すべての国力を集中して抗日救国の神聖なる事業に奮闘するべきである」

共産党が、国民党をもふくむ幅広い抗日統一戦線の結成を、はじめて呼びかけたのである。

この「八・一宣言」は、モスクワで開かれたコミンテルン第七回大会で採択されたテーぜに則っていた。コミンテルンは、国際情勢をファシズムと反ファシズムの闘争と位置づけ、ドイツと日本に対するすべての国家の連合と人民戦線の結成を呼びかけたのである。

中国共産党の地下組織から慶齢のもとに連絡員が派遣されたのは、その翌年、一九三六年五月のことだった。当時二〇歳になったばかりの李云さん。いまは柔和なおばあちゃんという印象だが、上海市の共産党幹部を後につとめたという筋金入りの活動家である。

「中国共産党は国民党との抗日統一戦線を望んでいました。慶齢はもともと国民党の左派でしたが、共産党とも接近していました。合作のためには、国共双方から支持を得ている孫文夫人宋慶齢の力が必要だと、共産党は考えたのです」

あるとき、慶齢は李云さんに尋ねた。「私は共産党員といえるのかしら」

李云さんは答えた。

「あなたは共産党員も同然です。党はあなたを大変重視しています。だからこそあなたと定期的に連絡を取るために私が派遣されたのです」

これを聞いたときの慶齢のうれしそうな表情が忘れられないと、李云さんは言う。

慶齢の行動は、李云さんを通じて共産党の地下組織へ、さらにモスクワへと伝えられていた。

一九三六年一〇月、中国共産党の指導者の一人だった王明がソビエト共産党のディミトロフにあてた電文の中に、慶齢についての記述がある。

「南京政府の財政部長孔祥熙が個人的に宋慶齢を訪ね、交渉のために共産主義者との会見の場を設けてほしいと依頼した。

慶齢は、南京政府がまず最小限の条件を果たさなければならないと答えた。抗日の立場の明示、逮捕されている共産主義者の釈放、陝西省《せんせい》などの紅軍への物資の提供、共産主義者に対し、自由な活動の権利を与えること……」

共産党からの抗日統一戦線の呼びかけに対し、国民党の内部からも国共合作の可能性が模索されていた。そして慶齢は、国共の両陣営から、その仲介をし得る人物として注目されていたのである。

宋一族のつながりを通じて密《ひそ》かに行われていた国共合作への試み。やがて、こうした動きを一気に加速させる事件が起こる。その鍵を握ったのは、慶齢の妹、美齢であった。

西安事変

西安・華清池。一九三六年一二月一二日未明、ここで「宋王朝」の支配を揺るがす大事件が起こった。西安事変。共産党軍との戦いの視察に赴いた蔣介石が、東北軍の指導者張学良に監禁されたのである。張学良は、国民党が共産党との戦いを停止し、一致して抗日にあたるよう蔣介石に迫り、その要求を中国全土に通電した。

上海で事件の発生を知った美齢は、翌一三日、孔祥煕・靄齢夫妻やオーストラリア人の顧問W・H・ドナルドとともに南京に飛んだ。南京政府の大勢は、西安に軍を差し向け、張学良を討つべしとの意見に傾いていた。しかし美齢は強硬にこれに反対した。

「皆さんの提案は、蔣介石先生の生命を危険にさらします。平和的手段で彼を釈放させるためには、いかなる努力も惜しまれてはなりません」

この段階では、蔣介石の安否もふくめ、西安の正確な状況を知るものは誰一人いなかった。実情を知るために、誰かを西安に派遣しなければならない。張学良軍の攻撃が予想される危険な任務を、美齢はW・H・ドナルドに託す。ドナルドはかつて張学良の顧問をつとめていたことがあった。たとえ反乱を企てた張学良といえども、ドナルドには矛先を向けることはないと美齢は考えたのである。

この頃、上海にいた慶齢のもとにも事件発生の知らせは届いていた。共産党の連絡員・李云さんが、党中央からの連絡を受け、慶齢に事件の第一報を伝えたのである。

「慶齢はこう言いました。『張学良はいいことをしました。蔣介石は圧制者です。人々に数々の非道な振る舞いをし、たくさんの革命戦士を殺しました』」

その翌日、慶齢のもとに脅迫状が届いた。

「お前は張学良と組んで蔣介石委員長を裏切ったな。もしも蔣介石委員長に何かあったらお前のせいだ。銃弾は人を選ばないからな」

脅迫状には二発の銃弾が添えられていた。

南京政府は、張学良の背後では共産党が糸を操っているものとみていたが、毛沢東や周恩来にとっても事件は青天の霹靂《へきれき》であった。善後策を討議した結果、中国共産党は事件の平和解決にむけて動き出す。蔣介石を釈放させるよう交渉を進め、その代わりに、かねてからの方針だった国民党と共産党との抗日統一戦線の結成を認めさせようと考えたのである。

張学良（左）と蔣介石（右）。西安事変が起こる前年に撮影された

李云さんは語る。

「最初は党も蔣介石の勾留《こうりゅう》はよいことだと考えていましたが、翌日にはその考えも変わっていました。もしこのような状況のなかで蔣介石を殺害してしまったとしたら、張学良軍と南京政府との間に新たな内戦が起こり、日本にさらに侵略の口実を与えてしまうことになるからです。私は慶齢に党の方針を伝えました。すると慶齢もこれに賛成してくれたの

です」

慶齢の意志は、事件を平和裡《り》に解決しようという美齢の願いと期せずして一致することになった。そしてそれは共産党の方針にも沿うものであった。

一二月一四日、西安に向かったドナルドからの報告が美齢のもとに届いた。

「蔣介石の安全は保たれている。張学良は、行動は誤りだったが、動機は純粋であったと自認している」

はじめて西安の状況が判明したのである。ドナルドと張学良の接触によって、蔣介石釈放に向けての交渉の糸口が開かれ、交渉役として宋子文が西安に派遣された。二〇日午前、子文は張学良と会談、その席で張は、蔣介石が内戦の停止・国共の合作など八項目の条件を受諾さえすれば、彼を釈放すると述べた。

しかし蔣介石は、条件の受諾を頑強に拒みつづけた。張学良軍の将兵の間には、蔣介石を処刑すべきだという声が高まっていった。一方、南京政府は西安に向けて軍を進めつつあった。新たな内戦の危機が迫るなか、美齢はついに、自ら西安に赴くことを決意する。

「西安事件を建築にたとえるなら、ドナルドが基礎を固め、子文が柱を立て壁を築いたところだ。屋根を葺《ふ》いて家を完成させることこそ、誰にも肩代わりさせることのできない私の任務なのだ」

二二日午前一一時一〇分、美齢は、宋子文、ドナルドと共に緊迫の西安に向かった。ドナルドによれば、西安に到着する直前、美齢はリボルバーをドナルドに手渡してこう言ったという。

「約束してくれる？　もし兵士が私に指一本でも触れようとしたら私を撃って」

まるで女帝のように

一二月二二日午後三時二〇分、西安飛行場に到着した美齢一行を張学良が迎えた。美齢は平静であることに努め、何事もなかったかのように時候のあいさつをした。すぐに蔣介石に会うかと尋ねる張学良に、美齢はまずお茶を所望する。のちに美齢が述べたところによれば「張学良を紳士と信じ、安心して彼のもとに身を寄せているのだ」と態度で示そうとしたのである。信じていないとすれば、お茶を飲んだりはしない。毒殺を警戒するからである。

午後四時、美齢は張学良に案内され、蔣介石が監禁されている高桂滋《こうけいじ》公館を訪ねた。蔣介石を心配させないよう、このときまで美齢は、彼女の西安入りについて何も知らせていなかった。蔣介石は、張学良軍の兵士に捕らえられたときに打った背骨の痛みで、ベッドに横になっていた。頰の肉はげっそりと落ちていた。

「突然妻が現れた。夢ではないかと驚く。妻は無理に笑顔を作って見せるが、私の憂慮は増すばかりだ。この一〇日間、私は自分の生死は度外視してきたが、これからは妻の安全を心配しなければならない。どうあっても死なせるわけにはいかない。……妻は、何をおいても西安を脱出するのが先だと言った」

美齢の登場によって事態は急展開した。蔣介石は、張学良が主張する内戦の停止と一致抗日に原則的に同意を表明したのである。しかしこのとき蔣は二つの条件を出した。彼自身の代わりに、子文と美齢が交渉に当たること、そして合意した条件については蔣は保証はするが、署名はしないということである。蔣は自らの権威と体面を保ちつつ事態を収拾する方策をとったのである。

美齢がのちに口述した「西安事変回憶録」には、事件を解決に向けて大きく前進させたある会談の模様が記されている。

「張学良は、西安の有力者のひとりを連れてきて私に引きあわせました。張は、この人物は西安では大きな影響力を持っているのだが、蔣委員長が会いたがらないのだといいます」

美齢が政治的配慮から名前を明かしていないこの「有力者」とは、じつは周恩来であった。

中国共産党は、事件の平和的解決と国共合作の実現に向けて交渉を進めるため、周恩来を西安に送り込んでいたのである。

美齢と周恩来との会談は二三日、二時間にわたって行われた。美齢は周恩来に、中国共産党が誠意を持っているなら、国民政府の指導のもとで共同の努力をすべきだ、と述べた。これに対し周恩来はこう語った。蒋介石が抗日に同意しさえすれば、共産党は彼を全国の指導者として支持する。蒋介石を除いて国のなかに適任者はいない。

翌日も続けられた交渉の席で、美齢は内戦の停止にはっきりと賛意を示した。

「われわれはみな黄帝の末裔《まつえい》なのだから断じて殺し合ってはならない。内政問題はすべて政治的な解決を求めるべきで、武力をふるうべきではない」

西安に到着した美齢

蒋介石が釈放されたのはその翌日二五日のことであった。周恩来は美齢の保証によってはじめて蒋介石の釈放に同意した。こうして内戦の危機は回避され、国民党と共産党は抗日統一戦線の結成にむけて大きく前進したのである。

周恩来は交渉の合意内容を毛沢東に報告している。それは、中国において宋一族の存在がいかに大きなものであったかを物語ってい

NEW YORK TIMES, SATURDAY, APRIL 17, 1937.

MME. CHIANG TELLS OF CLASH WITH MILITARISTS

Every Effort Was Made to Prevent Her From Flying to Sian, Where Husband Was Prisoner

Spent Days of 'Intense Agony' as She Feared a Plane Might Attack Stronghold of Rebels

By MAYLING SOONG CHIANG

ARTICLE II

GENERALISSIMO AND MME. CHIANG KAI-SHEK

「ニューヨークタイムズ」に連載された美齢の西安事変体験記

る。

「孔祥熙と宋子文が行政院を組織し、宋が全責任をもって世論を満足させる政府を組織する」

「蔣介石が確実に共産党討伐を停止し、張学良の手を経て紅軍に物資を支給することを、宋兄妹が保証する」

「すべての政治犯を釈放するため、孫文夫人宋慶齢と方法を協議することに宋子文は同意した」

　西安事変が起こって一〇日余り、中国の最高指導者の監禁という異常な事態に世界の目は注がれ続けた。その中で、自らの危険を顧みず西安に赴き、夫を救い中国の危機を救ったファーストレディ宋美齢。彼女の名声は一躍国際的なものとなった。美齢が記した西安事変の体験記はアメリカの新聞に連載され、大きな反響を呼んだ。

　当時中国に駐在していたアメリカ人外交官ジョン・ペイトン・デイビスは語る。

「一触即発の状況の中で、彼女は大へんな勇気を示したわけです。この事件が起こるまでは彼女はそうした勇気を人々に示す機会はありませんでした。彼女は女帝となる素質を持っていたのだと思います。もしも数百年早く生まれていたとしたら、彼女はもっと猛々《たけだけ》しい人々に恐れられる存在になっていたかもしれません。彼女は権力を握ることを恐れない人物でしたから」

西安事変の解決は、中国にとってばかりではなく、美齢にとっても大きな転機となったのである。

一九三七年七月七日、北京郊外の盧溝橋《ろこうきょう》で日中両軍の武力衝突が起こった。戦線はたちまちのうちに拡大し、日本と中国は全面戦争に突入した。七月一一日、これまで日本との直接対決を避けてきた蔣介石は、「ただ抗戦あるのみ」とはじめて断言した。八月、華北・華中の紅軍は、それぞれ国民革命軍八路軍・新四軍に再編された。陝北の共産党根拠地も地方政府として国民政府の承認を受けた。一九二七年、蔣介石のクーデターによって崩壊した国共合作がここに復活し、抗日統一戦線が現実のものとなったのである。

しかし、国際社会のなかでは、あいかわらず中国は孤立した戦いを強いられていた。アメリカ大統領ルーズベルトは、膨張主義を強める日本を、世界を蝕《むしば》む病原菌にたとえ、これを「隔離」するという決意を述べたものの、具体的な行動には及ばなかった。アメリカ世論も、中国には同情するが、日本とのビジネスを続けるという従来の姿勢を再確認するにとどまっていた。当時の世論調査によれば、中国への武器輸出には六四パーセントが反対、中国に同情的な人々の間でも、六三パーセントが日本商品のボイコットには反対。むしろ、日中戦争に巻き込まれないよう中国から全アメリカ軍を撤退させるべきだとする人が過半数を占めている。

一一月、欧米各国と中国の代表がブリュッセルに集まった。中国代表顧維鈞《こいきん》は、この会議で、日本に対する各国の経済制裁を強く求めた。しかしアメリカ世論の動向に配慮したルーズベルトはこれに反対を表明し、なんら具体的な決定もなされぬまま会議は終わったのである。

西安事変によって名声を得たファーストレディ美齢は、中国に対する欧米の理解と支援を得るために雑誌・新聞などのメディアに積極的に登場する。

「私たちの願いはいつまでも戦い抜けるだけの物質的補給を確保することです。もし民主的国家がそのための措置をとらないのであれば、日本が中国を蹂躙《じゅうりん》するのを手をこまねいて見ていたことを後悔する日がきっとくることでしょう……民主的国家が、中国という大きな可能性を持つ市場を台無しにされるのを黙認している現状を見ると、彼らが一体正気なのかと疑わざるを得ません」

「中国が直面している悲劇と殺戮があなた方の愛する人々へ及ぶのを避けたいのであれば、日本製品をボイコットして下さい」

蔣介石夫妻の顧問をつとめていたドナルドも、アメリカ人に訴えかけた。

「もし民主的な列強諸国が中国へ援助を与えることを拒み、いかなる形にせよ日本に手を貸すとすれば、歴史上最も大きな罪を犯すことになろう」

中国は恥ずかしくないのか?

このドナルドが中国にやってきたのは二〇世紀はじめ、中国がまだ清朝の専制支配のもとにあった時代のことだった。一九一一年、辛亥革命勃発の際に、ドナルドは革命軍の南京奪還を「ニューヨーク・ヘラルド」の特派員として報道しているが、じつはこのとき、ドナルドは、南京の城門を撃破した大砲の撃ち方を、革命軍に教えたという。

革命運動に共鳴し、孫文と深い友情で結ばれたドナルドは、ごく自然に宋耀如とも親しくつき合うようになった。彼の屋敷に行くと、瞳の美しい三人の少女たちと会うことができた。美齢はまだ一〇歳にもなっていなかったが、それ以来ドナルドはこの利発で愛らしい女性の成長を見守りつづけてきたのだった。

孫文の死後、蔣介石が南京で政権を掌握すると、ドナルドは、それまでの革命運動に対する功績をかわれ新政府の統計局を任された。しかし財政部長は、ドナルドに対し統計局予算のなかから毎日五〇〇〇ドルの裏金を捻出《ねんしゅつ》するよう求めた。ドナルドはこれに応じず、抗議の意を込め、南京政府の職を辞したのである。

ドナルドと美齢

ドナルドはもはや中国における自分の仕事は終わったと感じた。そのドナルドがなぜ帰国の決意を翻し蔣介石夫妻の顧問をつとめることになったのか、ある一夜の出来事をドナルドは後に語っている。

淡く透明な湖面が広がる杭州・西湖に面したレストランに、ドナルドと蔣介石夫妻が座っていた。あたりは山々に囲まれ、優美な塔の姿がそこここに望まれ、柳の土手と三日月型の橋が幾重にも交わっていた。

七時になると、ドナルドは居ずまいを正して蔣介石に目を向け話を始めた。美齢が左隣で通訳をつとめた。

「これから中国のどこが悪いのか話そう」

美齢は怯えたようにドナルドから自分の夫に目をやった。今まで誰も恐ろしくてできなかったことを、ドナルドは始めたのだった。

「まず、何を改革すべきかわかっていないから、高官たちは改革することができないのだ。あなた方は官衙《かんが》に座ってばかりいるから、窓枠を地平線と勘違いするようなことになる。

恐がって誰もあなた方の間違いを指摘しないから、いつまでたっても何も本当のことを知らないのだ。頭でっかちな鼠の巣に引きこもってはいるが、自惚《うぬぼ》れまみれの尻ばかりは隠せやしない。クソくらえだ。あんた方の馬鹿さ加減にはもう我慢できん」

ドナルドは一息ついた。美齢が通訳した。蔣介石は面食らって一度瞬きをした。

「この国には汚職がはびこっている」とドナルドは続けた。

「汚ぇ詐欺野郎ばっかりでアメリカ赤十字基金から政府・民間あらゆるところでむしり取るように一切合切盗んでいきやがる。一晩で一財産モノにできない奴は役立たず呼ばわりされるありさまだ」

「あなたの意見を蔣総統に伝えます」と美齢は言った。

蔣の射るような目差しがドナルドに注がれた。

ドナルドはなおも続けた。

「国が阿片《アヘン》でいっぱいだということは、私が知っているくらいだからあなたもよくご存じのはずだ。阿片は揚子江を行き来して、あなたの屋敷の玄関も素通りしていく。洪水対策がないために、疫病に対する備えがないために、何千人もの人が毎月死んでいく。いや何万も何百万もだ。中国は農民の国だなんて言っているが本当は貧農の国でしかない。風が吹くように疫病が国中に蔓延《まんえん》する。内戦で共食いするのを止められないから、またも何百万、何千万の人が死ぬ」

美齢が通訳すると、ドナルドはさらに痛いところを突き刺した。

「学校はどこにあるのかね。高速道路はどこだ？　なきゃいけない鉄道網はどこだ？　工業地帯や水力発電はどこだ？　技術プロジェクトに使う熟練工は？　有能な現場監督は？　それから町行く人のどこに礼儀や品格があるのだ」

彼はそこで止め、美齢を見た。そしてまた続けた。

「中国は恥ずかしくないのか。かたや腐りきってぶくぶくと私腹を肥やし、かたやこぎたない豚のような姿をさらして貧しさにあえいでいる。人力車夫や人夫などは他の国の家畜どもよりもひどい暮らしだ」

ドナルドが自分の言い分を言い終わったときには夜中の一二時近くになっていた。蔣介石はそのまま残って部下と協議を続け、ドナルドは美齢をホテルまで送っていった。その道すがら美齢はドナルドの腕をとって言った。

「あなたってなんて凄《すご》い人なの。私たちにはああいったことが必要だったのよ」

二人はロビーで立ち止まった。

「私たちのために働いて下さらない？　私たちにはあなたのような頭脳が必要なの」

「私は女のためには働かない主義なんだ」と言ってドナルドは微笑《ほほえ》んだ。

「あの気紛れ者に何をアドバイスしようっていうんだい？　何を言っても聞きやしないよ」

「私が代わりに聞いてなんとかするわ」彼女は答えた。「そうでもなければ、あなたの言ったことをそのまま全部伝えるようなことはとてもできなかったわ」

確かに美齢の言うとおりだった。「クソくらえ」まで美齢は正確に訳したのだった。

ドナルドは笑った。「じゃあ手紙を書こう」と彼は続けた。「その手紙のとおりに元帥を動かすことができれば、君たちと一緒に働くのを考えてもいい」

こうして美齢は、ドナルドの心を再び中国につなぎ止めることに成功し、知性と見識を兼ね備えた人物を彼女のブレインに加えた。ドナルドの情熱は、美齢を世界に通用するファーストレディに育て上げることに注がれた。ドナルドによれば美齢は「美と勇気と知性を兼ね備えたヒロインの原石」であった。

「王女」に魅せられた男

日本の侵略の激化は、国の内外に「宋王朝」の新たな信奉者を生み出すことになった。

彼らは、日本の理不尽な侵略に抵抗を続ける「宋王朝」に、正義の証《あかし》を見出していた。そしてそのヒロインこそ、キリスト教を信ずるファーストレディ宋美齢だったのである。

元アメリカ空軍大佐クレア・リー・シェンノート。彼もまた美齢に魅せられたひとりで

シェンノート（右）と美齢、蔣介石

ある。

一九三七年四月、アメリカ軍人だったシェンノートは中国政府から依頼を受け、中国空軍の戦闘力についての調査・報告の任務に就いた。そしてある日、彼は上海で、中国航空委員会の事務総長をつとめていた美齢と初めて面会することになったのである。シェンノートは、蔣介石の顧問役だったロイ・ホルブルックとともに、彼の雇い主が現れるのを待っていた。

「突然、パリモードのドレスを着こんだ活発な若い娘が、エネルギーと情熱にあふれつつ、軽い足取りで部屋に入ってきた。私はロイの若いガールフレンドだと思って座ったままでいた。ロイが私のわき腹をつついて、『蔣介石夫人、シェンノート大佐を紹介しましょう』と言ったときの私の驚きを想像してみよ。彼女が総統の妻であった。

彼女は私が考えていたよりも二〇歳は若く見え、ひどい南部訛《なまり》の英語をあやつった。私にとってこの邂逅《かいこう》はとても冷静ではいられないほどの出会いであった。その日のことは今もって、思い出すだけでもまったくうっとりしてしまう。その夜私は日記にこう書きつけた。『彼女は以後ずっと私の王女となるだろう』」

パイロットとしての腕は超一流だが、武骨で気難しい四七歳のアメリカ軍人の運命は、この日を境に変わった。シェンノートは中国空軍の作戦指導にあたったばかりか、抗日戦争中は自ら爆撃機に乗り込んで中国の空を守り、さらに戦後、国民党政権が台湾に移ってからもロビー活動を通じて美齢のために尽くしつづけるのである。

だが、美齢が魅惑したのはシェンノート個人にとどまらなかった。やがて彼女は、アメリカという国家をも、王朝の側に引き入れる役割を担うことになる。

一九三七年八月一三日、シェンノートは、美齢の要請で中国空軍の指揮を引き継ぐことになった。その日、夜を徹し翌朝四時まで作戦を練ったシェンノートは、上海の日本軍に対する空爆を決定する。

一四日午後四時半、上海上空に突然爆音がとどろいた。そして五機の中国軍双発爆撃機が、黄浦江に浮かぶ戦艦出雲めがけて爆撃した。

ところが次の瞬間、人々は信じられないものを目撃した。急降下していった爆撃機から四発の爆弾が放たれ、外灘《ワイタン》の密集地帯へ向かって落ちてきたのである。未熟な中国人パイロットによる誤爆であった。

一瞬のうちにパレスホテルの屋根は炎に包まれ、瓦礫《がれき》が雨のように降り注ぎ、土ぼこりとガラスの破片が雲のように舞い上がった。

メインストリートの南京路に亀裂が走り、路上には見るも無残な死体が散乱していた。死者五〇名あまり、負傷者一一五〇名あまり。「王女」に魅入られた男シェンノートの初仕事は、惨劇に終わったのである。

中国空軍の惨憺《さんたん》たる状況はこれにとどまらなかった。ある夜、夜間爆撃から帰還した航空隊を出迎えたシェンノートと美齢は、恐るべき光景を目にした。

「一番機は滑走路を駆け抜けて水田に飛び込み、機体は四散した。二番機は地上で宙返りし、爆発炎上した。四番機は、炎上している二番機の消火に急行していた消防車に激突した。一一機のうち五機が着陸に失敗し、四人のパイロットが死んだ」

「蔣介石夫人はワッと泣き出した。『どうしましょう、どうしましょう』とすすり泣いた。『私たちは大枚のお金をはたいて最もいい飛行機を買って、たくさんのお金と時間をかけて訓練したのに、私の目の前で死んでいくなんて、どうしたらいいの？』」

一〇月、シェンノートはこう断言した。

「この中国空軍にはほとほと万策尽きた。そのパイロットたるや、ぎごちない動きで次々と出てくる、射的場のアヒルだ」

第五章
「宋王朝」の抗日戦争

重慶に再び集まった三姉妹。左より靄齢、美齢、慶齢

世界が動き始めた

一九三七年八月、宋慶齢は、論文「征服されざる中国」を発表している。

「中国の土地は広大で、資源は豊富、人口は四億七五〇〇万です。この情勢の下では、日本の武力は張り子の虎にすぎません。日本の経済と社会機構は、中国人民に対する長期戦を持ちこたえることはできません。中国は単独で日本と戦わざるを得なくなっても、負けることはありません」

しかし妹の美齢には、それは美しすぎる夢想と響いたにちがいない。政権の中枢にあって中国の軍事力の実態を知る美齢には、中国が単独で戦い勝利を得られるとは到底信じられなかった。

三八年四月、オランダの記録映画作家ヨリス・イヴェンスが武漢にやってきた。イヴェンスは、それまで世界の各地で戦う民衆の姿を記録しつづけ、その前年にはスペイン戦争の映画を制作し、注目を集めていた。

イヴェンスを中国に招いたのは、じつは美齢だった。美齢は映像の力によって、日本の侵略に脅かされる中国の現実を世界に伝えようと考えたのである。

イヴェンスは、撮影隊を率いて中国各地で撮影を続けた。協力者のなかには、戦場を駆けた写真家、ロバート・キャパの姿もあった。

こうしてでき上がった記録映画『四億』は、世界中で公開され大反響を呼んだ。

その頃アメリカでは、中国共産党地区の実情を初めて明らかにした一冊の書物がベストセラーとなっていた。エドガー・スノーの『中国の赤い星』である。

スノーに共産党地区を取材させるために、慶齢はさまざまな便宜を図った。彼女は、この機会をとらえて、共産党にまつわるさまざまな中傷や憶測を払拭《ふっしょく》し、欧米の理解を得ようと考えていたのである。

戦線の拡大につれ、中国には世界の目が注がれ始めた。中国軍の果敢な抵抗、南京におけるアメリカ軍艦パネー号の撃沈事件、日本軍による大規模な虐殺、こうしたニュースはただちに世界に伝えられ、イギリスやアメリカで、中国に対する関心と同情が急速に高まっていった。

一九三九年二月、日本軍は宋家の故郷でもある海南島を占領、東南アジアに権益を持つ欧米にとって日本は現実的な脅威となった。さらに五月四日、日本軍の無差別爆撃が重慶を襲った。アメリカの雑誌「ライフ」は写真入りでこれを報じ、アメリカ市民に衝撃を与えた。

「重慶は近代戦の最も恐るべき実例を提供する場となった。爆撃は市街を溶鉱炉のような焦熱地獄に変え、五〇〇人以上の人々が焼け死んだ……」

当時、「タイム」誌、「ライフ」誌を発行し、アメリカのメディア界に君臨していたヘンリー・ルースは、蔣介石夫妻の熱烈な支持者として知られていた。ルースの父は、中国へのキリスト教の普及のために生涯を捧げた宣教師だった。自らも中国に生まれたルースは、父の遺志を受け継ぎ、中国を救わなければならないという使命感に燃えていた。しかもルースの二人の妹は、美齢が青春時代を過ごしたウエルズレイ大学の卒業生だった。ルースは「タイム」や「ライフ」の誌上で、中国支援と蔣介石夫妻賛美のキャンペーンを張り、アメリカ世論を大きく動かしていく。

六月二六日、「タイム」はこう伝えた。

「蔣介石は、たぐいまれな勇気と決断の人であることを自ら示してきた。西安で軟禁されたとき、彼は死をも恐れないことを実証した。彼はメソジスト派の信徒であり、聖書の苦難の物語によって心を慰め自らを支えている」

「宋王朝」は、そのキリスト教徒としての顔によって、アメリカに力強い守護者を獲得したのである。「ファシズムの横暴と戦うキリスト教の戦士」そのイメージが多くのアメリカ人の心をとらえていった。

七月、中国への支援と日本に対する制裁を求める世論が高まる中、ついにルーズベルトは日米通商航海条約の破棄を日本政府に通告した。

香港にて

日本軍の上海侵攻にともない、慶齢は上海を離れ香港に移り住んだ。共産党は慶齢をはじめとする「民主人士」に、イギリス統治下の香港に逃れるよう要請したのである。

慶齢は香港で独自の抗日組織「保衛中国同盟」を設立した。日本軍の侵略にさらされている共産党地区の実情を訴え、薬品や救援物資の寄付を世界に募ったのである。海外華僑を中心とする人々がこの訴えに応え、多くの支援が寄せられた。

イスラエル・エプシュタインさんが、はじめて慶齢に会ったのはこの頃だった。ジャーナリストとして中国に滞在していたエプシュタインさんに「保衛中国同盟」の活動に協力してもらうため、慶齢が彼を招いたのだった。

「慶齢はすでに世界的・歴史的な人物でした。私はまだ二三歳で、彼女と会うことにとても緊張していました。でも彼女は人を安心させる才能を持っていました。ほんの数分で一般の人間と世界的人物の間の垣根を取り去ってしまったのです」

エプシュタインさんは「保衛中国同盟」の一員となり、戦争が終わった後も慶齢と活動を共にしていく。一九五七年エプシュタインさんは中国国籍を取得、中国人として生きることを選んだ。

「このとき慶齢と出会わなければ、私は中国に留《とど》まろうとは思わなかったでしょう。私は中国に興味は持っていましたが、一生をここで過ごすことになろうとは思っていませんでした。私には慶齢が勇気と希望を意味していたのです」

中国共産党の連絡員だった李云さんも、このとき慶齢と同行して香港に来ている。彼女は、慶齢と他の姉妹との関係を物語るエピソードを話してくれた。

「一九三八年二月のことです。新聞に『美齢が香港に慶齢を訪ねる』という大きな記事が載りました。私は急いで何か動きがあるなと思って慌てて慶齢のところに行きました。すると慶齢はこう言うのです。『その記事はウソよ。私たち姉妹は互いのことを名前では呼ばない。孫文夫人、蔣介石夫人、孔祥熙夫人と夫の名前で呼ぶの。姉妹の情なんてもうないのよ』」

国民党と共産党が抗日統一戦線を結成したにもかかわらず、慶齢はなおも姉や妹と一線を画しつづけたのである。

王朝の都

「めぐりくる慶《よろこ》びの都市」重慶。

揚子江と嘉陵江《かりょうこう》が交わる崖《がけ》の上の街。船を下りれば四八〇段もの石段が高く遠く連なり、上りつめるとようやく市街にたどり着く。道の両側に、木造の家屋が低くびっしりと軒を並べ、その隙間《すきま》をうねうねと曲がりくねった道が延びている。

一九三八年一〇月、蔣介石は、新たな戦時首都を重慶とすることを宣言、戦火に追われた人々は続々と重慶に集まった。工場、大学、新聞社、各国の大使館などあらゆる都市機能も、群衆と共に揚子江を上った。それは「宋王朝」の遷都をも意味していた。

中央の権力者を迎え入れるために、庶民は家を追い立てられた。二〇軒分の土地に「王朝」一家族のための広壮な邸宅が建つことも珍しくはなかった。「王朝」の社交界を支えるために、名うての料理人が全国から集められ、美味珍味を味わいつくした高官や富豪たちの舌を満足させた。爆撃と灯火管制のもとでも、「王朝」の住人たちには、「めぐりくる慶びの都市」が用意されていたのである。

揚子江南岸の黄山の頂に蔣介石は居を構えた。一帯は鬱蒼《うっそう》たる森林に囲まれ、眼下に重慶中心部を見下ろすことができた。門に向かって数マイル続くなだらかな上り坂が、訪れる者に、山荘の主の権威を印象づけていた。

黄山山荘から少し下ったところに、美齢、靄齢、子文など宋一族それぞれが暑い夏をしのぐための邸宅が建てられた。周辺は厳重な立入禁止区域とされ、宋一族が暮らしていることは、庶民が知ってはならない情報だった。

この時期、日本の占領地域の拡大と比例するかのように、共産党の勢力は伸びていった。国民党の軍隊が日本軍に敗れ撤退したのち、農民たちは自力で自らの命と土地を守らなければならなかった。華北・華中の戦場に登場した八路軍・新四軍は、この農民たちを組織し、抗日のための根拠地を作り上げていった。農民は、生き残るために共産党に保護を求め、その傘下に入っていったのである。

これ以降日本の敗戦に至るまで、中国には三つの異質な地域が併存することになる。日本軍の占領する「淪陥区《りんかん》」、共産党の支配する「解放区」、重慶を拠点に国民政府が支配する「大後方」。その後の戦いは、このいずれの勢力が民衆をつかんでいくかによって決していったのである。

重慶、それは少なくとも中国大陸に関するかぎり「宋王朝」最後の都であった……。

再会の時

一九三九年八月二三日、世界を衝撃が走った。反ファシズム人民戦線の盟主であったソビエトが、その敵対者であるはずのナチスドイツと、不可侵条約を締結したのである。ソビエトは、ドイツや日本との関係を深め、中国を見捨てようとしているのではないか……

重慶は懸念した。

ソビエトに背後から攻撃されるおそれがなくなったドイツは、一九三九年九月、ポーランドに侵攻、第二次世界大戦が始まった。蔣介石はその日、日記にこう記している。

「わが国の欧州戦に対する政策はただひとつ、民主戦線側に身を置き、日本との戦争を欧州戦と関連づけて解決する足がかりを得ることである」

混迷を深める世界情勢の中で蔣介石が選んだ戦略は、日中戦争とヨーロッパの戦争を結びつけ、英米と連合して、日本との戦いを有利に運ぶことであった。そのためには、中国が英米と同じように「民主主義国」であることを印象づけなければならない。民主的な中国のシンボルがこのとき求められていたのである。

一九四〇年はじめ、美齢は香港に向かった。

二月のことである。

その瞬間、香港ホテルのダイニングルームにざわめきが広がった。靄齢・慶齢・美齢の三姉妹が連れだって現れたのである。

たまたまその場に居合わせた新聞記者は呟《つぶや》いた。

「信じられない、どうして慶齢が他の二人と一緒にいるんだ」

三姉妹が人々の前で同じテーブルを囲んだのは、一九二七年に蔣介石によって国共合作が絶たれて以来、一三年ぶりのことだった。

重慶を訪れ、戦災孤児を慰問する三姉妹

三姉妹は、明らかに目的を一つにして集まっていたようにみえた。

「ついに慶齢も、蔣介石の力を認めた」人々は噂した……。

三月三一日、靄齢・慶齢・美齢、宋家の三姉妹は、日本軍の爆撃が続く重慶に共に姿を現した。慶齢が美齢の招きに応じたのである。被災地の視察、病院や学校の慰問、集会、連夜のパーティー……。三姉妹の行動が連日紙面を飾った。

重慶郊外歌楽山にあった第一児童保育院を姉妹はたびたび慰問している。現在は結核専門の病院となっているが、当時この保育院には、日本軍の侵略によって難民となった子どもたちが、中国全土から集まっていた。

張淑英さんは、戦乱の中で父を亡くし、湖

北省の難民キャンプからこの保育院に移ってきた。現在は隣村で教師を務めている。三姉妹の慰問は、張さんが保育院に来たばかりの頃だった。ところが張さんは姉妹の姿を見ていない。

「その日、先生は私たちを山に連れていきました。私たちは田舎の村から来たばかりで、身なりも貧しく、先生から見たらしつけもまったくできていませんでした。ですから先生は、私たちの姿をえらい人たちに見せたくなかったのです。山から帰ってみると、美齢がプレゼントしてくれたテーブルほどの大きなケーキと、靄齢がプレゼントした豚が一頭残されていました」

姉妹の行く先々にはつねに熱狂的な歓迎が用意されていた。そしてそのかたわらではいつもカメラが回り、映像は逐一海外にも伝えられていった。

三姉妹の重慶訪問を、「ニューヨークタイムズ」はこう報じている。

「宋慶齢が蔣介石と緊張した関係にあるという噂は、これで否定されることになろう」

メディアに伝えられた三姉妹は、国共合作に基づく抗日統一戦線の、民主主義の、そして、中国の悲劇の象徴であった。

慶齢と親しかったイスラエル・エプシュタインさんは、ジャーナリストとしての経験を踏まえてこう語る。

「あれは中国の統一戦線を分裂させないために当時必要なパフォーマンスだったのだと思

います。孫文の原則に最も忠実な慶齢の政治姿勢からすれば、よほどの状況でなければ、そんなことはしなかったでしょう。美齢も蔣介石の同意なしでは行動しなかったはずですし、靄齢の場合も同じことです。このとき、政治が彼女たちを一緒にしたのです。こうした行動に、世界は、国共の統一戦線を見出しました。毛沢東が蔣介石に会ったわけではありません。姉妹が会っただけです。しかしそれは非常にドラマチックな出来事に見えたのです」

当時の新聞によると、三姉妹は四〇日にわたって重慶に滞在し、その間公式の場だけで二三回行動を共にしている。団結して抗日に立ち上がった中国の姿を世界に印象づけた三姉妹、しかし慶齢は、そのまま重慶にとどまろうとはせず、ひとり香港に帰っていった。

ロビイスト宋子文

一九四〇年九月、日本はドイツ占領下にあったフランスのビシー政権の許可を取りつけると、北部仏印へ軍を進め、中国国外へ初めて南進を開始した。そして同月末にはドイツ、イタリアと日独伊三国同盟を締結し、北方のソビエトを牽制、さらなる南進へと態勢を整えていった。

一方、中国経済は崩壊寸前だった。豊かな東海岸一帯を日本軍に押さえられ、中国が税

部隊をも米国から手に入れるため、蔣はさらに「王女に魅入られた男」クレア・リー・シェンノートをアメリカへ派遣したのである。

シェンノートと子文は積極的にアメリカ政府に働きかけた。五〇〇人の指導教官の派遣、飛行場一四と一二二本の滑走路を建設するための物資、さらに一〇〇〇機の航空機。次々と出される要求は満たされようもなく過大なものだったが、アメリカ国内では同情的に受け取られ、二人は徐々に成果をあげていった。

二人はまずアメリカからイギリスに提供されるはずだった一〇〇機のカーチス・ライト社のP40戦闘機を、かわって中国に提供させることに成功。つづいてアメリカ軍の現役パイロットを中国に呼び寄せる手だてを考え出した。アメリカ軍のパイロットが一時的に退役し、義勇兵として中国に赴き、一年契約でシェンノートの指揮下で戦う。表向き日中間の紛争に中立を保っていたアメリカが軍人を中国へ派遣するための苦肉の策であった。

二人の説得は見事に功を奏し、一九四一年四月一五日、ルーズベルトはついにこの義勇兵を許可する行政命令を出した。こうして集められたパイロットたちは、義勇兵の募集および派遣のためのエージェントとなった中央飛行機製造会社なる米国企業から、七五〇ドルの月給と日本軍機一機の撃墜につき五〇〇ドルのボーナスを受け取ることになっていた。アメリカン・ボランティア・グループ（AVG）と呼ばれた彼らは、すべての戦闘機の先端に虎の顔を描いたことから、フライング・タイガースとして勇名を馳《は》せ、重慶上空の日本軍を脅かしていく。シェンノートはようやく「王女」美齢の期待に酬いたのだった。

一九四一年三月、中国とアメリカとの間には武器貸与協定が結ばれた。貸与という形で大量の武器と軍需物資が中国にもたらされることになったのである。資金・兵員・武器、戦争遂行手段の全般にわたる支援がこうして始まった。アメリカは、「宋王朝」の思惑どおり、中国との関わりを深め、日本との直接対決に向かって徐々に歩みはじめていた。

その一か月後、ソビエトの思いがけない行動が再び重慶を揺るがした。ドイツとの関係悪化に備え、ソビエトは日本との間に中立条約を締結したのである。

中国にとっては、それは今まで中国が力を注いできた反ファシスト連合育成への裏切りにも等しいものだった。しかもその付属声明書には、ソビエトが「満州帝国」の領土保全を尊重すると記されていたのである。

「宋王朝」が頼るべき国は、もはやアメリカしか残されていなかった。

虚栄と腐敗

抗日戦争によって疲弊していた中国経済は、アメリカの支援によってようやく息を吹き返すかにみえた。しかし重慶では、アメリカからの借款を獲得した宋一族をめぐる黒い噂がささやかれていた。

この時期、借款の使途や兵器の購入について権限を握っていたのは、靄齢の夫・孔祥煕だった。この権限を利用して、孔祥煕と靄齢が私腹を肥やしているというのである。

当時重慶にいたアメリカの外交官ジョン・ペイトン・デイビスは語る。

「ともかく巨額の金が動いていました。そういったなかで秘密を隠し通すのは至難の業ですからね。孔祥煕と靄齢、そして靄齢の弟たちが組んで金を動かしていました。孔親分と宋子分というわけです。蒋介石は腐敗とは無縁でした。彼は政治的人間ですし、中国全部が自分のものですから、腐敗に手を染める必要がなかったのです」

アメリカのジャーナリスト、エドガー・スノーによれば、孔祥煕は、アメリカから爆撃機を買う場合、一機につき一万六〇〇〇ドルもの「コミッション」を要求したという。

スノーは、こう続けている。

「……だが、この巨額のリベートも、孔祥煕夫人が行っている為替の投機による利益に比べれば、微々たるものに過ぎない」

当時、国民政府の財政部に勤務していた顔済蘉《がんさいき》氏の証言。

「もちろん当時私も聞いたことがある。その手口はこうでした。孔祥煕がまず、ある公債や株式について、整理すべきであると新聞紙上で発言するわけです。財政を握っている人物の発言ですから当然影響力は大きく、株価は急落します。そこで靄齢の出番です。彼女が安くなった株式を大量に買い集めるのです。その後、孔祥熙は前言を翻して、政府が株式を買い支えます。当然株価は値上がりして、靄齢のもとに莫大な利益が転がり込む、という寸法です」

蔣介石夫妻の顧問を務めていたW・H・ドナルドは、その持ち前の正義感から、宋王朝の腐敗ぶりに憤りをつのらせていた。

ある日ドナルドは、意を決して蔣介石夫妻の屋敷を訪ね、美齢を庭に連れ出した。声を落とし、しかし鋭い口調でドナルドは美齢に切り出した。

「貧しい人々のあえぎをよそに、あなたの一族のなかには、虚栄におぼれ俗悪な形で富を誇示している者がいる。あなたは、そんな馬鹿なまねをやめさせるべきだ」

ドナルドは、ある高官の妻を例に挙げた。だが、それはあまりに核心をつきすぎていた。それまで静かにドナルドの話に耳を傾けていた美齢は、にわかに表情を強張らせ冷たく言い放った。

「ドナルド、政府についても中国についても何を言っても構わない。でもあなたでも批判してはならない人間がいることをよく覚えておくことね」

美齢の情熱に動かされ、中国を離れることを思い止まったドナルド。それ以来ドナルドの情熱は、美齢を世界に通用するファーストレディとして育て上げることに注がれてきた。しかし一九四〇年、彼はついに美齢に別れを告げ、三〇年にわたった中国での生活に終止符を打ったのだった。

日米開戦

一九四一年一二月八日、日本軍が真珠湾を奇襲し太平洋戦争が始まった。蔣介石の思惑どおり、アメリカをはじめとする連合国が、中国と共に日本と戦うことになったのである。当時、蔣介石の側近将校の妻で、のちに作家となったハン・スーインは、その日喜びに包まれた重慶の模様を記している。

「やにわに往来が騒々しくなり、号外屋の叫ぶ声や、それを買いに家から飛び出していく音や、寄り集まってしゃべっている声などが、車馬の雑音をつんざいて聞こえてきた。軍事委員会は歓喜にあふれ、蔣介石もわくわくして古いオペラの旋律を歌い、その日は一日中アヴェ・マリアのレコードをかけ通しだった。国民政府の役人は、まるで大勝利を博したかのように歩き回って祝辞を交わした。彼らの見解によると、それは勝利に等しかった。ついにアメリカは日本と戦端を開いたのだ！　これからは中国の戦略上の重要性は従来にも増して高まるだろう。アメリカのドルや資材がどんどん中国に流れ込んでくるだろう。五億ドル、一〇億ドルと……」

翌年二月、アメリカ議会は、蔣介石の要請に応《こた》え、新たに五億ドルの借款供与を承認した。それはアメリカが「宋王朝」を運命共同体の一員として選んだことを意味していた。

太平洋戦争の開始と共に日本軍の攻撃は香港にも及んだ。香港にいた慶齢は危うく難を逃れて重慶に移った。彼女が重慶行きの飛行機に乗り込んでわずか六時間後、空港は炎上し香港は日本軍の手に落ちた。

慶齢は、靄齢の招きに応じて、ひとまず重慶市内にある孔夫妻の屋敷に落ち着いた。だが、周囲に国民党の高官たちの邸宅が立ち並び、蔣介石をはじめ慶齢と長く対立してきた人々と毎日のように顔をつき合わせなければならないような暮らしが、慶齢にとって心地よいはずはなかった。

数か月後、慶齢は孔夫妻の屋敷を出て、重慶の町のはずれにある二階建てのこぢんまりとした洋館で暮らし始めた。

このとき妹の美齢は、慶齢のために自分の屋敷で働いていた運転手と料理人を世話している。その後五年間運転手をつとめた惠延年さんの話は、慶齢のつつましい暮らしぶりをしのばせる。

「私と一緒に美齢の屋敷から来た料理人は、西洋料理も中国料理もすばらしい腕前で、毎日山海の珍味を並べ立てました。ところが慶齢はそれを食べてくれません。じつは、彼が作った料理の材料は、美齢の屋敷から持ってきたものでした。美齢は料理人に、自分のところにある料理の材料をいくら使ってもかまわないから、おいしいものを姉に食べさせてあげて、と言っていたのです。これを知った慶齢は美齢の申し出を断りました。『私は庶民の食事がしたい』というのです。実際慶齢は、豆腐や野菜、肉料理などはせいぜい一品しか食べませんでした。腕のふるいようのなくなった料理人は、とうとう辞めてしまいました」

慶齢はこの屋敷で、香港で設立した保衛中国同盟の活動を再開した。日本軍の攻撃にさらされている共産党地区への支援活動である。

屋敷の警備をしていた譚明徳《たんめいとく》さんの目には、慶齢の精力的な仕事ぶりが焼きついている。

「昼間は、保衛中国同盟の会議や打ち合わせで終わってしまいます。夕食をとって少し休むと慶齢は、部屋にこもりひとりで仕事を続けます。タイプライターの音が明け方まで聞こえていました」

朝になると慶齢は譚さんを呼ぶ。書きあげた手紙を届けてもらうためである。とくに重要だったのは、共産党の周恩来との連絡だった。共産党地区の実情を周恩来を通じて的確に把握し、保衛中国同盟による医薬品などの支援を実りあるものにすることが求められていた。

だが、保衛中国同盟の活動は困難の連続だった。共産党勢力の拡大に脅威を覚えた蔣介石が共産党地区に軍を進め、経済封鎖を行っていたのである。国共合作とは名ばかりの現実が慶齢の前に立ちはだかっていた。

運転手だった惠さんは、慶齢の屋敷を蔣介石が訪ねてきたときの様子を印象深く覚えている。

「慶齢は普段と変わらず穏やかな笑みを浮かべて蔣介石を迎えていました。えらい人たちというのは、心の中を簡単に表情に表すことはないものなのだと思いました。一方、蔣介石も慶齢を丁重に扱っていました。帰る時も慶齢に背を向けないよう、後ずさりしながら玄関の石段を降りていくほどでした。慶齢に対し最大級の敬意を払っていることを蔣介石は示そうとしたのです」

それぞれ内面の葛藤を押し隠しつつ、慶齢と蔣介石は重慶の日々を過ごしていったのである。

あやうい蜜月

一九四二年三月、ジョセフ・スティルウエル将軍が重慶に到着した。ルーズベルトが彼を蔣介石の参謀長、中国・インド・ビルマ戦区アメリカ軍総司令官に任命したのである。フライング・タイガースを率いて重慶の空の守りにあたっていたクレア・リー・シェンノートは、スティルウエル将軍の部下となった。

シェンノートは、この日の美齢について述べている。

「蔣夫人はスティルウエルとの最初の会談ののち、上機嫌ではしゃぎまわった。彼女はスティルウエルと私の腕を取ってテラスに連れて行った。われわれが互いに腕を組んでテラスをゆっくり上り降りしたとき、彼女は言った。『中国はついに二人のアメリカ人軍事指導者の援助を得られることになって私は幸せいっぱいである。スティルウエルとシェンノートは、二人で円滑に任務を遂行してほしい。あなた方二人の指揮による米中連合の戦争遂行に大いなる希望をつないでいる』」

しかし、この蜜月はつかの間だった。

蔣介石から中国軍の第五軍と六軍の指揮を任されたスティルウエルは、四月、連合国の中国への補給路・ビルマルートの攻防戦に挑んだ。ところが彼はここで思いがけない事態に直面する。スティルウエルに指揮が任されたはずの中国軍が、彼の命令に従わないばかりか勝手に後退し、戦線は総崩れとなってしまったのである。

スティルウエルが戦場で記した日記にはこう書かれている。

「根本的な理由は蔣介石の干渉である。彼は手出しをしないでいられなかった。前線から一六〇〇マイルも離れ、断片的な情報ややぶにらみの戦術観に基づいて、ああしろ、こうしろとひっきりなしに命令を書いている。蔣介石自身が軍に後退を命じたのだ」

当時蔣介石の顧問をつとめていた英国人オーエン・ラティモアは、蔣介石の心のうちをこう推し測っている。

「蔣介石は、日本の侵略によって生じた中国の苦しみをアメリカが理解していないと感じて、ある意味で非常な恨みを持っていた。彼は『日本を負かすのはアメリカに任しておこう、中国のすべきことは持久戦に出てとにかく持ちこたえることだ』と結論したのだ」

中国軍に後退を命じた蔣介石の判断には、もうひとつの目論見《もくろみ》が秘められていた。蔣介石は、日本との戦いが終わったのち共産党との内戦が始まることを予測し、その日に備え国民党軍の戦力の温存を図っていたのである。

やがてスティルウエルは、蔣介石や美齢が自分に何を求めているのかを思い知る。

七月一日の日記。

「会議。蔣夫人、シェンノート、私が出席。

夫人は言った。

『シェンノート君、飛行機はどれだけ必要ですか?』

『三〇〇機と月間補充二〇パーセントです』とシェンノート。

『よろしい。それではワシントンに連絡し、子文から圧力をかけさせましょう。スティルウエル将軍からもワシントンにその旨伝えて下さい。飛行機を手に入れるのはあなたの仕事です』と蔣夫人。

私は中国人となり、中国の欲することは何であれすべて合衆国にすすめて出させる代理

スティルウエルと美齢

人になるべきだというのだ。『そうすれば、あなたが大将におなりになるよう骨を折りましょう』

何という連中だ⁉」

スティルウエルの司令部付きの外交官だったジョン・サービスは、美齢に初めて会ったときのエピソードを語ってくれた。

「美齢は私に、『あら、サービスなんて素敵な名前だこと。あなたが中国に大きく貢献（サービス）してくれるとよいのですが』と言ったのです。それで私は『自分の仕事は中国への貢献ではなく、祖国アメリカへの貢献だぞ』と自分に言い聞かせたものでした」

中国軍によって日本軍を中国大陸に釘付《くぎづ》けにし、太平洋での戦いを有利に運ぼうというアメリカ、一方、アメリカ軍に依存し中国軍の消耗を避けようとする蒋介石。両者の思惑は、当初から大きく食いちがっていたのである。

第六章
美齢、アメリカを席捲

母校ウエルズレイ大学を訪問する美齢

魅入られた大統領特使

一九四二年一〇月、ルーズベルト大統領の特使ウェンデル・ウィルキーが訪中した。ウィルキーは一九四〇年の大統領選挙でルーズベルトと争った共和党の実力者である。しかし、前線視察と米中親善のためとされた訪中の目的はあいまいで、二年前の選挙に惜敗したウィルキーに対して、ルーズベルトがねぎらいのための中国旅行をプレゼントしたというのが真相らしい。

これに対し、中国は最高の礼を尽くしてウィルキーを歓迎した。重慶駐在アメリカ大使館の意向を無視して、蔣介石と美齢はウィルキーのために新しく壁を塗り直した迎賓館を用意し、彼を手厚くもてなした。このため、ウィルキーを揚子江対岸のアメリカ大使館へエスコートしようと待ち構えていたアメリカ大使らはすっかり肩透かしを食らってしまったのである。以後、ウィルキーの公式日程はすべて中国側の予定に沿って変更され、アメリカ大使館はなす術がなかった。

連合軍の中国・インド・ビルマ戦区総司令官のスティルウエル将軍もウィルキーと何度かの会談が予定されていたが、たびたび延期された末、ようやく三〇分の会見が実現した。

しかし、中国側の下にも置かない歓迎ぶりにすっかり気をよくしていたウィルキーは、戦況についての質問ひとつさせずに、米中関係の一般論を滔々《とうとう》とスティルウエルに語って聞かせ、最後に小話《こばなし》を一つして会談を終えてしまった。

ウィルキーのホストは蔣介石であったが、実際にウィルキーをもてなしたのは主に靄齢と、蔣介石の通訳をつとめた美齢だった。美齢は胸に空軍の記章をつけた黒いチャイナドレスをすらりとしたその身に着け、流暢な英語と洗練された身のこなしをもってウィルキーを迎えた。そして、ときには靄齢が案内し、ときには美齢が横に寄り添うようにして、大戦災孤児の学校や職業訓練校を訪問させ、時代がかった対空砲の軍事パレードを見せ、大学では講演会を催した。訪問先はどこもウィルキー歓迎の大群衆で埋めつくされ、つねにアメリカはじめ外国の新聞記者が付き従い、ニュース・カメラが回っていた。当時重慶に駐在していたアメリカ外交官のジョン・ペイトン・デイビスは、ウィルキー訪中の様子について手紙に記している。

「こうした類いの外遊では、普通三つの目的が考えられる。できる限り好印象をマスコミに与えること、友人や人脈を開拓すること、そして可能な限りの情報収集。ウィルキー氏はどうやら一番目の目的を追求しているようだ」

さらにデイビスは語る。

「ウィルキーは次期大統領選挙への出馬をねらっていました。ですからウィルキーの最大

ウィルキーと美齢

の目的は、マスコミの前で、彼がいかに大統領にふさわしい人物か、いかに中国人を相手に魅力的に振る舞い、人心をつかむ術に長《た》けているかを印象づけることでした。

そしてその一方で美齢は、こうしたウィルキーの目論見を見事に看破していました。そして美齢は、アメリカ政府に中国側が望むような政策をとらせるために、ウィルキーを利用しようと考えたのです」

あるとき、空軍指揮官のマントを優雅にまとってティーパーティーに現れた美齢は、触れなば落ちんという風情で、あなたはひどく私の心を乱す存在だ、というようなことをウィルキーに告白した。彼はこの一言で参ってしまった。後にウィルキーはこの逸話を強く否定したが、美齢がいとも簡単に、いわば小指でからめとるようにしてウィルキーを虜《とりこ》にしてしまったことは確かだとデイビスは言う。

「美齢は三姉妹のなかでも最も西洋の文化を深く理解していましたから、アメリカの高官たちのことをよく分かっていましたし、英語は流暢で、そして容姿端麗の美しい女性でした。ですから皆すっかり美齢にやられてしまうわけです。結局、アメリカ政府の高官といえども人の子だということです」


美齢と靄齢がウィルキーをもてなしている間、慶齢は苛立ちを募らせていた。ウィルキーの訪問は、国共合作を堅持することの重要性や苛酷《かこく》な状況にある共産党軍の実情などを、アメリカに訴える絶好のチャンスだった。しかし、ウィルキーの日程はすべて靄齢や美齢に握られていた。アメリカ人の友人グレイス・グラニッチへの手紙のなかで、慶齢は不満をもらしている。

「彼とは公式行事の席上で何度か会いましたが、どうしても彼と二人きりで話すことができません。彼が自由に人と会うことができないようにスケジュールが組まれているのです」

慶齢がウィルキーと語る機会を与えられるのは、孔祥熙主催のディナーパーティーの席上などに限られていた。そんな数少ないチャンスにおいても、慶齢がゆっくり話をしたがっている、などと聞くと、美齢はウィルキーをテーブルから引き離し、客がすべて帰ってしまうまで彼を放そうとしなかった。そしてウィルキーもまた、慶齢の焦りをよそに、「他の客人のことや時間の感覚を忘れて靄齢や美齢と話し込み、存分に楽しい時を過ごした」とアメリカの雑誌に寄せた中国旅行記に記す始末だった。

帰国を数日後に控えたある日、ウィルキーは美齢に訪米をすすめた。さらに彼は孔祥煕と靄齢にも美齢の訪米の意義を熱っぽく語った。

「アメリカ人はアジア情勢や中国国民の意見を理解する必要がある。そして知性と説得力と道徳を兼ね備えた人物から中国について学ばなければならない。蔣介石夫人こそは最適任者である。チャーミングでウィットに富み、広く寛大な心、優雅で美しい容姿と振る舞い、そして燃えるような信念。アメリカは彼女のような賓客の訪問を必要としている」

翌朝、ウィルキーは蔣介石夫妻と朝食を共にした。そして、彼は美齢の資質にますます確信を深め、後にこう記した。

「人の魅力が容赦なく白日の下に秤《はかり》にかけられる、朝食というこの試練の場でも、蔣介石夫人はいつもの美しさに寸分も欠けるところがなかった」

ファーストレディの辣腕外交

一九四二年一一月二七日、美齢はアメリカに到着した。ウエルズレイ大学を卒業して以来、二五年ぶりのアメリカだった。しかし、美齢訪米のニュースは当初アメリカの新聞に小さく報じられただけだった。ホワイトハウスは彼女の訪米の第一目的は治療のための入院であり、退院後ホワイトハウスを訪れる予定であると短く発表しただけで、具体的な治療内容やアメリカ到着の様子など、詳細は一切公表されなかった。

美齢は同年春ごろより健康を害し、ウィルキー訪中以前から加療のための訪米が検討されていた。当時美齢はアメリカの友人にあてた手紙のなかで、胃炎と歯ぐきの炎症に悩まされ訪米を考えていると記している。また九月にはルーズベルト夫人が美齢の健康を気づかい、アメリカでの治療とホワイトハウス訪問を促す手紙を出している。

美齢が入院中いかなる治療を受けたかは定かでない。アメリカのマスコミは、美齢の治療は一九三七年以来彼女を悩ませてきた脊椎《せきつい》疾患であると伝えた。美齢は五年前、前線視察中に日本軍の爆撃に遭い、車から投げ出されて背中を負傷したことがあったのである。このほか美齢はしばしばじんましんを患い、訪米中もベッドには絹のシーツだけを使って、しかも一日に何度も清潔なものと取り替えなければならなかったという。いずれにせよ、美齢はアメリカに到着するとただちにニューヨークのコロンビア大学病院に入院し、治療は三か月の長きにわたった。

美齢が公けの場に姿を現したのは翌一九四三年二月のことである。ニューヨークから特別列車でワシントンに到着した美齢は、駅頭でルーズベルト夫人の出迎えを受け、ただちにルーズベルト大統領のリムジンに乗り込むと、ホワイトハウスへ向かった。この様子はニュースフィルムにおさめられ、美齢の晴姿がアメリカ中に伝えられた。全米を席捲《せっけん》することになる美齢のアメリカ横断ツアーの始まりであった。

ホワイトハウスのゲストとなった美齢は、まずアメリカ議会における演説で訪米公式日程の幕を開けた。美齢は演壇に立つと、堂々とした英語で述べた。

「今まさに、アメリカ合衆国の代表である皆さんは、貴国の先人たちが示したパイオニア精神を受け継ぐという、栄光に満ちた責務を果たす機会を眼前にしています。そして、中国はあなた方はじめ諸国民と協力する用意と熱意を持っています。傲慢《ごうまん》な隣人が再び私たちの子孫を血塗られた運命に突き落とすことがないように、理性的で進歩的な世界のための真に永続的な基礎を築こうではありませんか」

議場には万雷の拍手が鳴り響き、議員たちは一斉に立ち上がると、いつまでも美齢にスタンディング・オベーションを送りつづけた。議場を出た一人の議員はすすり泣かんばかりにして述べた。「こんな感動は初めてだ。蔣介石夫人のおかげで大声で泣き出したいくらいだ」

翌日、ルーズベルトは美齢と共にホワイトハウスで記者会見を行った。「もしアメリカ国民が、蔣夫人のアメリカに対する理解の半分でも中国を理解できるなら、じつに喜ばしいことである。アメリカはさらに多くの航空機を中国に供給すると共に、中国を作戦基地として日本本土に打撃を与えるであろう」

さらに美齢は、ワシントンのショーラム・ホテルのバンケット・ホールで大統領夫妻はじめ上院・下院議員、各国大使らを集めた大レセプション・パーティーを開催した。ワシントン郊外の緑に囲まれた閑静な一画に建つショーラム・ホテルは、故ケネディ大統領とジャックリーヌ夫人が恋人時代にしばしば訪れたことでも知られ、現在でもアメリカ大統領の就任披露パーティーが開かれる由緒あるホテルである。美齢は二つの寝室にダイニング・ルーム、書斎まで備えたスイート・ルームに宿泊し、随員たちで一フロアの大半の部屋を占めていた。

パーティー会場はホテル開業以来の混雑となった。ホテルの元総支配人フィル・ハリウッド氏は回想する。

「蔣介石夫人はホールの入口で一人一人のゲストを握手で迎えたのですが、このため来客の列は入口から長い廊下を抜け、ホテルの正面ロビーを抜けて表通りにまで続き、一帯の交通は完全に麻痺《まひ》してしまいました。ゲストたちは蔣介石夫人と握手を済ますと、順に奥へ進んでそのまま庭の方へと出ていかなくてはなりませんでした。大統領の就任披露パーティー以上の一大イベントでした。あまりの混雑にゲストたちはカナッペの一つも口にできずにお帰りになったのではないかと思います。蔣介石夫人に会えて満足だったでしょうが、とても満腹とはいかなかったでしょう」

こうした熱狂的な歓迎がどこへ行っても美齢を待ち受けていた。

アメリカ初代大統領ワシントンの墓へ詣でた美齢は、ニューヨークに向かいチャイナタウンを訪問した。星条旗と中華民国の国旗を手にした中国系アメリカ人の群衆が沿道を埋め、新聞記者のストロボがリムジンのなかの美齢を照らした。マディソン・スクエア・ガーデンで開かれた演説会には一万七〇〇〇人の聴衆が詰めかけ、九人の州知事たちが演説に立った。シカゴでは市長が最高の賛辞で美齢を讃えれば、地元の新聞は負けじと「中国のジャンヌ・ダルク来訪」と報じた。

そして美齢の全米ツアーはロサンジェルスのハリウッド・ボールでクライマックスを迎えた。マレーネ・ディートリヒ、イングリッド・バーグマンらそうそうたる顔ぶれの歓迎委員会が企画し、『風と共に去りぬ』のプロデューサーとして有名なデイビッド・セルズニックが総合演出を担当した美齢の歓迎集会が開かれたのである。女性や子どもたちが踊りを披露し、米中友好を謳《うた》うプラカードを掲げて華麗なマーチを行った。そして全米にラジオ中継された演説のなかで、美齢は人類不変の自由と権利のために戦うことを訴え、割れるような拍手が彼女に応えたのである。

ウェンデル・ウィルキーの美齢に対する評価は誤っていなかったことが証明された。美齢は品位と美貌、そして救国の決意に満ちた演説でアメリカを魅了したのである。

母校再び

こうした輝かしい訪米日程のなか、念願かない、美齢は二つの母校を訪れた。

美齢は一九四三年三月、まずウエルズレイ大学を訪問。多忙なスケジュールの間を縫うようにして、六月にようやくウエスレイアン大学も訪れることができた。美齢は最優秀の成績で卒業したウエルズレイではもちろんのこと、正式には一年しか学んでいないウエスレイアンでも劣らぬ歓迎を受けた。ウエスレイアン大学はこのとき、靄齢、慶齢、美齢の三人に名誉法学博士号を授与した。三姉妹を代表して授与式に臨んだ美齢の様子を、当日会場にいたウエスレイアン大学の卒業生の一人アンナ・マリア・ドミンゴスさんが語って

ウエスレイアン大学を訪れた美齢（1943年）

ウエスレイアン大学で学位を受ける美齢

くれた。

「名誉博士号の授与式のため、何日も前から大学の関係者は準備におおわらわでした。会場に入るための整理券が前もって用意され、チケットがない大勢の人々が会場の前の通りを埋めつくしました。私は家族と一緒に幸い会場に入ることができました。

美齢さんの記念講演はほんとうに見事で、エレガントなその姿は会場を埋めたすべての人々に忘れがたい印象を残しました。同じウエスレイアン大学に学んだ者として、こんなに誇りに思えることはありませんでした」

美齢は母校への短い「里帰り」の旅で、かつて学んだ校舎や図書館を訪れ、同窓生や恩師にも会うチャンスに恵まれた。しかし、少女時代の思い出に身をまかすことのできるつかの間の小旅行の間も、美齢は中国の窮状を訴えることを忘れなかった。

「私は卒業以来、いつかこの懐かしいウエルズレイを再び訪れる日の来ることをいつも楽しみにしてきました。しかしあなた方は、私の感傷的な思い出話を聞くために今日ここへ来られたのではないはずです。よりよい世界を創造するためにあなた方がいかなる役割を果たすことができるか、このことをこそ今日あなた方に聞いて頂きたいと思います。世界では光と闇《やみ》、正義と欲望の激しい闘争が行われ、この先にも厳しい日々が待ち受けています。しかし、この試練にあってこそあなた方は学問の成果を生かし、一人一人が力を発揮することができるはずです」

中国を救う悲劇のヒロイン

治療を別にすれば、美齢の訪米の最大の目的は、世論を中国に有利な方向に導き、アメリカからよりいっそうの対中援助を引き出すことだった。しかし、美齢は一度として哀れみを請うような言動を示さなかった。訪米に先立って美齢がウエルズレイ大学の学友に書き送ったように、「訪米が物乞《ものご》いの旅だという印象を与えることだけはどうしても避けたい」との強い思いがあった。このため、美齢の演説はつねにアメリカ国民の良心を問い、ときには中国の苦しみに対する無知と無関心を責めるようであったし、中国人と西洋人があくまでも対等であることをことさら印象づけようとするかのようであった。

　アメリカ中が美齢の姿に熱狂していたころ、政府上層部には美齢に対する反感が募りはじめていた。ルーズベルトの側近の一人だったラフリン・カリーは、重慶駐在外交官のジョン・ビンセントにあてて、美齢の評判が悪くなりつつあることを書き送っている。美齢の演説はわざわざ難しい言葉を使って古今東西の逸話を引用し、自分の博学をひけらかすばかりで内容がなく、カリーの周囲にいた政府関係者たちは美齢の講演旅行にいい加減いらついているというのである。

　そしてカリーの観察を裏づけるかのように、「ニューヨークタイムズ」はサンフランシスコでの美齢の演説を皮肉たっぷりに批評した。

「演説は珠玉の名言をちりばめたようだった。記者は、とくに次のような一説に惹《ひ》かれた。『虚偽と不実に満ちた現今のナチス的および神道的な教条主義を、私は歪《ゆが》んだ精神による離接的論証に帰するものであります。しかしそれらは持続すべくもありません。なぜなら、人類の公準の真実とその真実たるとの確信のみが、暴力と歴史の猛襲に耐えるものだからです』」

　美齢の威厳に満ちた立居振る舞いは、裏返せば高慢と映りかねなかった。ホワイトハウスの従業員らは、美齢は閣僚以外のアメリカ人を全て苦力《クーリー》同様に扱うと苦情を述べ、ルーズベルト夫人すら「蔣介石夫人は民主主義について立派に議論はできるが、民主主義的に生きるということがどういうことか、まったくわかっていない」と述べたという。

しかし、美齢の一面について、噂話や皮肉混じりの記事が出回ったとしても、美齢に対する否定的な論調はけっして主流にはならなかった。なぜならアメリカ政府と大半のマスコミは、あくまで美齢を救国の天使として描きつづけたからである。訪米中の美齢に対する熱狂は、理想と信念に裏打ちされた毅然《きぜん》とした態度や、流暢《りゅうちょう》な英語とエキゾチックな美貌など、確かに美齢の資質に負うところが大きかった。しかし一方で、マスコミや政府が、美齢のわがままや尊大さに目をつむってでも、「中国を救う悲劇のヒロイン」といったイメージを意図的に形成しようとしていたことも見逃せない。

その急先鋒《きゅうせんぽう》の一人が、「タイム」および「ライフ」の両誌を発行していたヘンリー・ルースだった。蔣介石夫妻を、中国を救うキリスト教の戦士になぞらえていたルースは、ばらばらだった民間の中国支援団体を統合して中国救済連盟を結成し、義援金の募集の中核とするなど紙面の外でも蔣介石支援を推し進めた。そして美齢の訪米にあたっては、ルースは全米各地の歓迎式典や講演会の組織に心血を注ぎ、「ライフ」ではその様子を大きく報道し、「タイム」の表紙を美齢の肖像で飾ったのである。

大国の二つの顔

一方、アメリカ政府の政策も明確だった。美齢旋風がアメリカを席捲《せっけん》していたさなかに作成された、戦時情報局の秘密報告書がそれを雄弁に物語っている。一九四三年三月一二日付の海外作戦課の中央指令は、美齢に関する情報管理について次のように記している。

「われわれは、蔣介石を独裁者や国民の〝主人〟としてではなく、普遍的に認められた中国国民の代表として紹介するよう注意しなければならない。

蔣介石夫人の最近の演説を利用する場合、彼女が夫の裏で糸を引いているといったことをにおわさないように十分注意が必要だ。逆に、われわれは中国における女性の重要さと男女平等の証《あかし》として蔣介石夫人を描くべきである。なぜならそれはいかにも中国が民主主義的であるように見せる確実な証拠となるからである」

こうした情報戦略について元重慶駐在の外交官ジョン・サービスは言う。

「中国に関しては何事についてもできる限りよい解釈を施そうというわけです。当時すでに囁《ささや》かれていた美齢の悪評も打ち消そうということです。女性が重要な地位にあるからといってその国が民主主義的だなどというのはバカげていますし、われわれは当然国民党内の腐敗の噂なども聞いていました。しかし、中国は同盟国ですし、彼らも戦争で戦っていたわけですから、公式に中国を悪く言うことはできません。われわれとしてはニュースや情報、教育といった面で、戦意を高揚し、同盟国との結束を強め、あまり問題を起こさないような政策をとっていただけのことです」

アメリカ政府は、中国に対する介入の拡大を国民に納得させるために、こうした美齢のイメージを必要としていた。実態がどうであれ、中国もそしてそのファーストレディ美齢も民主主義的でなければならなかったのである。

しかし美齢は、こうした中国に対するアメリカのご都合主義的な態度を鋭く見抜いていた。

蔣介石夫妻の顧問だったオーエン・ラティモアは生前、美齢のアメリカに対する複雑な心境について、インタビューのなかで回想している。

「美齢の父親はアメリカ人宣教師のために働いて身を立てたのですが、アメリカ人はいつも彼をただの一人の貧しい中国人というふうに扱いました。彼は中国奥地への布教活動から上海の本部にもどると、いつも白人の宣教師たちが座っている前で立ったまま報告をさせられました。つまり同僚ではなく召使いとして扱われたのです。美齢はこの苦々しい思い出を私に何度も語りました。

美齢はさらに彼女自身に対するアメリカ人の態度も、〝賢い子だけど、所詮《しょせん》は中国人だ〟といったものだと感じていました。美齢はアメリカ人の態度は人種差別的で親切ぶっているばかりだと感じ、ひどく反感をもっていました」

美齢の心は、彼女の少女時代に人間の自由と自立を教えてくれたアメリカへの期待と、理想と現実を使い分ける狡猾《こうかつ》な大国としてのアメリカへの不信との間で、大きく揺れ動いていたのだった。

ニューヨーク州マッセーナのセント・ジョンズ聖公会教会。当時作られたステンドグラスには、キリストを頂点に多くの聖人が時代を追って現代まで並んでいる。現代を代表する人物は、蔣介石夫人宋美齢。アメリカの人々の目に、彼女は、中国のみならずキリスト教世界のファーストレディとして映っていたのである。

美齢のアメリカ訪問は大成功のうちに終わった。中国救済連盟に全国から寄せられた義援金は七〇〇万ドルに達した。それは、思いを異にしながら利害では一致をみた、アメリカと美齢、両者の共同作業の産物であった。

屋敷の中だけの自由

アメリカから帰国した美齢について、慶齢は友人への手紙にこう記している。

「美齢が乗ってきた飛行機には、膨大な量のトランクや缶詰が積み込まれていたそうです。

彼女が言うには、お土産を積み込むスペースがなかったので、彼女の靴は次の便で運ぶんですって。戦争が終わってからかしらね」

「美齢はニューヨーク五番街から抜け出した社交界の花形のように振る舞っています。彼女は周りの色に合わせて、自分を染め変えるのが得意なようです。

ともあれ、彼女はこの上ないほどの宣伝をしてくれました。本人も言っていたように『アメリカ人に、中国にいるのは苦力や洗濯屋だけではないということを示した』わけです。中国にとってはよいことなのでしょう、きっと……。ただ気がかりなのは、蔣介石がこの機をとらえて、アメリカで反共キャンペーンを展開しようと決意したことです」

支援の拡大にもかかわらず、共産党地区の経済封鎖はつづき、救援物資は送られなかった。そしてアメリカは蔣介石の意向に従い、これを黙認しつづけた。

その年の九月、慶齢は「海外にいる友人たちへ送る公開の手紙」を発表し、共産党地区への平等な支援を訴えた。

「八路軍や新四軍のもとには、武器はおろか、医者や薬品さえ届きません。この封鎖は、中国に一本の無形の境界線を作り出し、こちら側では抗日の兵士は治療を受ける資格を持っているのに、あちら側ではそれがないのです」

慶齢は自ら訪米し、共産党地区の実情を訴えたいと願っていた。しかし、国民政府は彼女の出国を許さなかった。重慶に駐在していたアメリカ人外交官ジョン・サービスは、当時こう記している。

「慶齢は、『海外のマスコミで中国の恥を晒《さら》し、根も葉もない噂を広め、外国人に懇請した』と責任を糾弾されている。慶齢の立場が今までより悪く、捕虜に近いものであると感じざるを得ない」

しかも慶齢の行動は、国民政府によって日夜密《ひそ》かに監視されていたとサービスは語る。

「表向きは宋慶齢の威厳を損なわないよう配慮したエレガントともいえる軟禁状態でした。しかし慶齢と接触した人はすべて記録され、その人々まで監視の対象となっていたのです」

慶齢が許されたのは、屋敷のなかだけの自由に過ぎなかった。彼女は、前線にいる友人にあてて、心のうちを綴《つづ》っている。

「もし今、私が前線にいたらどんなに気分が落ち着くでしょう。人間の尊厳を賭けた戦いを、ただ傍観するしかない自分が、無力に思えるのです。……私の替わりに、日本人を二、三人撃って下さいね」

ルーズベルトの変心

一九四三年一一月一八日、蔣介石夫妻は、ルーズベルト、チャーチルとの会談のため、

カイロ会談。左より蔣介石、ルーズベルト、チャーチル、美齢

重慶を立ちカイロに向かった。

ルーズベルトは以前から、戦後世界を米英中ソ四国を中心としてリードしていこうという「四大国構想」を提唱していた。カイロ会談では、この構想に基づき戦後アジアの秩序と中国戦線における連合国の戦略が討議されることになっていた。

ナイル河畔で、世界を動かす三巨頭と肩を並べた美齢。中国のファーストレディとしての名声は、このとき頂点に達したのである。

二二日午前一一時から始まった全体会議では、ビルマ作戦が討議の中心を占めた。その結果、蔣介石の主張が認められ、四四年一月を期して、ビルマ北方では米英中三国の陸軍が、南方ではイギリス海軍を中心とした艦船部隊が、日本軍に反撃を加えるという戦略が採択された。翌二三日、ルーズベルトは蔣介石夫妻を夕食会に招いた。このときルーズベルトは、中国を戦後世界の大国として遇することを明確にし、満州・台湾・澎湖《ほうこ》列島が戦後、中国の領土となることに同意した。

美齢は通訳として交渉の席につねに同席した。カイロ会談にスティルウエルと同行していたジョン・ペイトン・デイビスは語る。

「私たちには、蔣介石夫人が果たして総統の言うことを正確に通訳しているのか、それとも自分の主張を語っているのか判断がつきませんでした。われわれはとにかく夫人の言うことを額面通りに受け入れ、彼女が蔣介石の分身なのだと思うしかなかったのです」

蔣介石夫妻にとってカイロ会談は、軍事戦略の上からも、また戦後世界への布石という意味からも大きな成果をもたらした。内外の世論は、中国外交史上空前の勝利と夫妻を称えた。カイロを去るにあたって、美齢はさっそくルーズベルトに礼状をしたためた。「蔣介石総統はあなたの友情に対する感謝の言葉も見つからないほどです。私も総統の気持ちを表現するにふさわしい英語が思い浮かびません」

しかし、それからわずか一〇日後の一二月五日、蔣介石はルーズベルトから思いがけない通告を受けた。カイロ会談で合意されたビルマ作戦を延期する、ひとまず、中国の軍隊だけで北方ビルマ作戦を進めてほしい、というのである。

ルーズベルトの判断を大きく変えたもの、それはスターリンによる対日参戦の申し出だった。

カイロ会談に引きつづいて、テヘランでルーズベルト、チャーチルにスターリンを加えた三者会談が持たれた。スターリンはこの会議で、ドイツとの戦いに勝利した後、ソビエトが対日参戦することを確約した。ルーズベルトにとってそれは、中国政策を転換すべき時期が訪れたことを意味していた。日本を打倒するために中国に期待していた軍事的な役割を、今後はソビエトが果たしてくれる。米英に大きな負担となるビルマ作戦を急ぐ必要はない……。

ルーズベルトはスターリンにある提案を持ちかけた。ソビエトの対日参戦と引き替えに、日本の敗戦後、極東に自由港を設け、ソビエトが優先的に使用するという提案である。

自由港として名が挙げられたのは、中国遼東半島・大連だった。ルーズベルトは、ソビエトの対日参戦の条件を整えるために、蔣介石の頭越しに、スターリンとの取り引きに及んだのだった。

ソビエトの対日参戦は中国に対して極秘とされた。そして大連の自由港化という中国の主権にかかわる問題も蔣介石には伝えられなかった。蔣介石はただビルマ作戦の延期という一方的な通告を受けただけだったのである。

蔣介石は激怒し、こう返答した。

「もし米英側が南方ビルマ作戦を行わないのであれば、その代償として中国はアメリカに対し一〇億ドルの借款を要請する」

しかしルーズベルトは、借款の要求には議会が同意しないだろうとこの要求を一蹴《いっしゅう》した。これまで中国に好意的だったモーゲンソー財務長官さえ、こう述べた。「中国政府の頭目たる汚職一家をどうしてほかの中国人がいつまでも支持しているのか理解に苦しむ」

重慶の憂鬱

アメリカの中国政策の転換と軌を一にするかのように、この頃FBIは宋一族の腐敗について調査を行っている。現在までにその大部分が機密解除され、申請さえすれば閲覧が可能となっている。しかし、文書を手にした者は失望するにちがいない。アメリカの安全保障上差し障りがあるとして、ほとんどすべてのページに黒く塗りつぶされた部分があるのである。

だが、残された部分から報告の概要はつかむことができる。

「宋一族は中国において生殺与奪の権を握っている。これまで武器貸与法によっておよそ五億ドルが中国に提供されたが、そのうちの大部分は宋一族の懐に流れ込むであろう」

「宋子文はアメリカで会社を設立し、貸与法物資の流れを管理している。……六〇両の戦車などアメリカからの軍需物資を積んだ貨物船が沈没したという事件があったが、実際は戦車は積まれていなかった。そもそも戦車は製造もされなかった。これは、貸与法の資金が脇《わき》へ流れていった手口を示す証拠である」

果たしてここに記された事柄が事実なのかどうか、これほど大規模な不正が実際に行われていたのかどうか、情報のソースがことごとく塗りつぶされているため、裏付けのしようはない。また、私たちが取材した限りでは、宋一族の腐敗について語る人々も、その目で事実を目撃したわけではなく、人づてに伝え聞いたにすぎない。

だが、少なくともこうした不正腐敗が、当時多くの人々の「常識」となっていたことは確かである。そしてこの報告書の存在は、これまで不正腐敗を黙認してきたアメリカが、世界戦略の転換とともに、宋一族に厳しいまなざしを向け始めたことを示している。

一九四三年一二月一六日、スティルウエルは日記にこう記している。

「美齢と靄齢に会う。彼女たちは神経衰弱に近い。眠れないのだ。美齢は昨夜蔣介石と共に祈ったことを私に話した。……」

何が美齢と靄齢を苦しめていたのか。戦局の悪化なのか、あるいはビルマ作戦をルーズベルトが放棄してしまったことへの失望なのか、スティルウエルの日記からはその間の事情を読み取ることはできない。しかしおそらく彼女たちは、宋一族がこれまでにない事態に直面しようとしていることを感じ取っていたにちがいない。

一九四四年四月、日本軍は大陸打通作戦を開始した。この作戦は、日本軍の支配地域を南北に打ち貫き、最終的には中国にあるアメリカ空軍の主要基地を占領しその活動を封じようというものだった。

この年一一月までに、日本軍はアメリカの基地があった桂林、柳州などを占領した。一方国民政府軍は敗走を重ね、その軍隊の三分の一を失うに至った。

戦局と対米関係の悪化のなかで、「宋王朝」は動揺していた。その模様を注意深く観察していた外交官ジョン・サービスは、五月一〇日、こう報告している。

「重慶は蔣介石の家庭内の話で沸《わ》き返っている。蔣介石と美齢の夫婦仲が悪くなり、蔣が愛人を作ったという話に尾ひれがつけられている。火のない所に煙は立たないように見える。噂話によると……

『美齢は蔣介石のことを〝あの男〟と呼んでいる』

『美齢は、蔣介石が愛人に会いに行くときだけ入れ歯をすることに不満を感じている』

『ある日、美齢が蔣介石の寝室に入ってゆくとベッドの下にハイヒールが並べてあったので、彼女は怒ってそれを窓の外に投げ捨てた。するとハイヒールは護衛の頭に当たった』

『蔣介石が面会を四日間断っていたのは、美齢に花瓶で殴られた傷が治らなかったせいである』

美齢はアメリカから帰国後、ほとんど靄齢の家にいる。蔣介石と一緒の姿はほとんど見られず、一緒にいても関係が冷め切っているようにみえる。健康状態はあまりよくない。もし噂話が本当なら、プライドが高く、禁欲的なメソジスト教徒であり、こうした噂が名声にどんな影響を与えるか知っている美齢が、かなりのストレスを感じているのは確かである」

蔣介石夫妻は、外国人記者や宣教師を招いてパーティーを開き、ゴシップの否定に努めた。当時重慶にいたイスラエル・エプシュタインさんは語る。

「まるでジョークでした。一国の元首夫妻が宣教師を招いて、夫婦仲はうまくいっていると宣言するのですから。でも、それほど噂は広まっていたのです」

ゴシップは国民党上層部でもおおっぴらに語られていた。それは揺るぎないものと見えた宋一族を頂点とする支配体制の中で、何らかの異変が起こっていることを示していた。

五月一二日、サービスの報告。

「噂の背景には、党内の趨勢《すうせい》や対立抗争があると考えられる。現時点で明らかなのは、孔祥熙がほとんどすべての派閥から攻撃されていることである。攻撃の対象になっているのは、孔ばかりではない。美齢や靄齢にも攻撃が加えられている。美齢が蔣介石の寵愛《ちょうあい》を受けなくなったという噂が流布される背景には政治的動機があると考えられる。国内政治における美齢の役割は一段と低下しており、おそらく長い夏期休暇と称して中国を離れるのではないか」

王朝の分裂、そして……

一九四四年七月九日、サービスがかぎつけていた「宋王朝」内部の権力抗争はひとつの結末を迎えた。美齢と靄齢が病気の治療を理由に、中国を離れたのである。孔祥熙も靄齢の後を追い、やがて財政部長を解任された。一方、外交部長を務めていた宋子文は、翌年には行政部長と財政部長をも兼任することになった。

内部抗争の発端は、アメリカと中国との関係の悪化にあったという。孔祥熙・靄齢夫妻がまずその責任を追及され、さらに攻撃の矛先は美齢へと向けられたのだった。

宋慶齢と孫文の結婚に始まり、宋美齢と蔣介石の結婚によって完成した「宋王朝」。その後「宋王朝」はアメリカをパートナーとして権力を拡大しつづけた。しかしアメリカが対日戦のパートナーとしてソビエトを選んだいま、「宋王朝」はその絆《きずな》の危うさを露呈したのである。

蔣介石はこの権力抗争を無傷で生きのびた。子文と孔祥熙を競わせ、そのバランスを取りながら権力を維持する、それは蔣介石が宋一族との結びつきのなかから編み出した独裁者の処世術であった。この時蔣介石は、美齢をも切り捨てる形で、自らの延命に成功したのである。

宋王朝の分裂。その直前の一族の姿が映像に残されている。アメリカの副大統領ヘンリー・ウォーレスを迎えての歓迎の宴である。美齢と靄齢は笑みを絶やさず、蔣介石も何事もないかのように振る舞っている。しかし、美齢と靄齢が中国を離れたのはそれからわずか二週間後のことだった。華やかな宴席の背後で、激烈な権力抗争が終幕を迎えようとしていたのである。

慶齢は、こうした政変劇の裏側を知ってか知らずか友人のリチャード・ヤングにこう書き送っている。

「先週の土曜日、美齢と靄齢が出発しました。見たこともないほど巨大な飛行機です。彼女たちが病をいやし、秋にはもどってきてくれるよう願っています」

美齢と靄齢の旅は、慶齢の予想を超えて長いものとなった。二人の姉妹は、ブラジル、そしてアメリカへと移り住んだ。アメリカでは、ニューヨークの孔家の屋敷に引きこもり、人前に姿を現すことはほとんどなかった。

彼女たちが戦線から遠く離れて時を過ごしている間に、太平洋の戦況は変わり、それと共にアメリカの軍事戦略も変化しようとしていた。

四四年六月、連合軍はサイパン島を占領、翌年三月には硫黄島《いおうじま》陥落、そしてその島々から、B29による日本本土の爆撃が可能となった。中国から日本本土を爆撃するという太平洋戦争初期のアメリカの戦略は、もはや意味を持たなくなっていた。日本との戦いにおける中国戦線の重要性は急速に失われていった。

軍事戦略をめぐって対立していた二人の男たち、ジョセフ・スティルウエルとクレア・リー・シェンノートもあいついで職を解かれ、重慶を去った。


一九四五年二月、ヤルタ会談が開かれ、ソビエトの対日参戦の時期が確定した。ソビエトはその見返りとして大連港の自由化と、満鉄の優先的な使用を認められた。中国の主権に関する問題にもかかわらず、重慶にはヤルタの合意は何も伝えられなかった。

ルーズベルトはスターリンにこう語った。

「中国に話すことの困難は、何事も中国側に話すと二四時間以内に全世界に知れわたってしまうことだ」

中国の与《あずか》り知らぬところで、戦後の世界秩序は着々と形作られていったのである。


美齢が中国に帰国したのは、日本の敗戦から一か月後、一九四五年九月のことだった。八年ぶりの故郷上海。街は抗日戦勝利の喜びに沸き返り、人々は中国に勝利をもたらした指導者夫妻に賞賛を惜しまなかった。父と母が葬られている宋家の墓も、幾度もの戦災を免れ無傷のままそこにあった。そして、おそらく三人の姉妹は、中国が一五年の長きにわたる日本の侵略に打ち勝ったことに喜びを共にしたにちがいない。しかし、故郷の平和と安らぎはつかの間にすぎなかった。

一九四六年七月、蔣介石は数十万の兵を動員して、共産党地区への攻撃を開始した。抗日のためにかろうじて成り立っていた国共の合作は崩壊し、中国は全面的な内戦に突入したのである。

蔣介石は、中国共産化の脅威を煽《あお》り、アメリカに支援を訴えた。当初、国共の調停に動いていたアメリカも、内戦の本格化によって調停を断念し、蔣介石支持の姿勢を鮮明にした。世界はすでに冷戦の論理によって動きはじめていたのである。

三人の姉妹は、再びそれぞれの道を行くことを余儀なくされた。七月二三日、慶齢は声明を発表し、アメリカの人々に訴えた。

「すべての借款は、人民が承認する真に人民を代表する政府にだけ貸して下さい。もしアメリカが、武器の供給と軍事援助はしないと明白に表明したら、中国の内戦はけっして拡大しないでしょう。私はアメリカの友人たちに呼びかけます。あなた方はすべての軍事援助を阻止すべきです」

国民党軍は、当初圧倒的な勢いで進攻した。総兵力四三〇万、そのうち米軍の最新設備を持つ正規軍が二〇〇万、対する共産軍は一二〇余万、日本軍から奪った旧式装備が中心であった。アメリカは国民政府に二〇億ドルの援助を与えたほか、軍事顧問団を派遣し、余剰軍事物資を放出した。更に、アメリカの空海軍は国民党軍の輸送に協力した。

しかし共産軍は粘り強く反撃し、四八年に入ると形勢は明らかに逆転した。東北、華北、中原などの戦場で人民解放軍は勝利を重ね、解放区は拡大していった。国民党軍は点在する大都市の防備のため釘付けにされ、戦闘の主導権を失っていた。そして一九四八年九月、林彪率いる東北野戦軍は、「遼瀋戦役」を開始し、一〇月錦州、長春を攻略、一一月はじめまでに全東北を解放した。この戦役で国民党軍は一挙に四七万の兵力を失い、数の上でも劣勢に立たされたのである。

美齢が再びアメリカに旅立ったのはその直後のことだった。彼女は、中国を共産化させてはならないという使命感に燃え、アメリカからの支援のさらなる拡大に期待をかけていた。アメリカ中が彼女に熱狂したあの一九四三年の再現を、美齢は夢見ていたのである。しかしこのとき、度重なるてこ入れにもかかわらず敗走を重ねる国民党軍を、アメリカが苦々しげに見つめていたことを美齢は知っていただろうか。そして美齢は、中国大陸が彼女を拒む日がくることを、予感していただろうか……。

中国大陸が拒む日

美齢の訪米は今回もまた非公式なものだった。美齢はまず個人的にも親しかった国務長官マーシャル夫人の客となり、マーシャル邸に滞在した。ニュースフィルムは、マーシャル夫人と庭を散策し「旧友のもてなしを受けてアメリカに滞在できることを感謝している」と語る美齢の姿を伝えた。

しかし美齢の目的が旧友とくつろぐことではなかったことは明らかである。美齢はまず国務長官マーシャルを通じて、国民党の窮状をトルーマン政権に訴えたかったにちがいない。ところがマーシャル自身はその頃ちょうど入院中で美齢に会おうとしなかった。そして一二月に入りようやく会談したときも、美齢の要求のことごとくを穏やかに、だがきっぱりと拒否した。アメリカがせめて蔣介石政権支持の声明を出すよう求める美齢に対し、「内戦下の中国の現状をアメリカ国民に伝えることは重要であるが、実情を公けにするのは国民党にとってかえって不利になるはずだ」と述べた。

そしてルーズベルトの死後、大統領となったトルーマンも美齢に取りあおうとはしなかった。トルーマンは「蔣介石に対する借款はすでに三八億ドル以上に達している」と声明し、美齢をつっぱねた。このとき、アメリカからの援助への期待は外交面でも、物的経済的な面でも断たれてしまったのである。

さらに美齢の失意に追い討ちをかけるように、駐米中国大使の顧維鈞が美齢の訪米についてこう語った。

「蔣介石夫人は少女のような気まぐれで来てしまったようだ。彼女は蔣介石や政府の同意なしにアメリカへやって来てしまったので、私たちも公式に発表することもできない。た

Failures Pursue Madame Chiang

Popular Acclaim Proved Fruitless

By JAMES RESTON
[illegible]

WASHINGTON, Jan. 10—Mme. Chiang Kai-shek's diplomatic missions to the United States ended today. They started, during the war, like the visit of the Queen of Sheba to the court of King Solomon, but they have ended in failure, and what is worse, in bitterness.

As a commentary on modern politics and power, as a warning of the dangers of wartime propaganda, and as a personal tragedy, there are few episodes in recent history to compare with these missions.

Once Idolized

When she came here in the winter of 1942-43, all the arts and contrivances of Hollywood, Washington and Broadway were combined to give her a personal triumph. She stayed three times at the White House. President Roosevelt played second fiddle to her in a joint White House press conference. She was the first private citizen to address the two houses of Congress. Mayor LaGuardia gave her a ticker tape reception in New York. And Mayor Kelly of Chicago boomed: "Here is the key to the city; the city is yours!"

But Madame Chiang failed, not only in her last mission but in her first, for the primary objective of that first mission was to persuade President Roosevelt to put the defeat of Japan ahead of the defeat of Germany, and this he refused to do.

Mr. Roosevelt arranged everything she wanted—except the change of strategy which she sought. He could not give her armies, at that time, but he gave her freedom and propaganda, and she used both with extraordinary skill.

She visited the great cities of America, and exhorted the workers to make more guns and buy more bonds. She went to the college campuses and spoke the heroic words of the founding fathers and the Chinese prophets. And in the process, she helped to create in the minds of the American people a most dangerous illusion.

CREATED ILLUSION

This was that China and the United States were not only allies in the same cause, but that they believed in the same things, were fighting loyally together toward roughly the same objectives, and were represented by men of unquestioned honor and probity.

Under the impetus of the war, our own government contributed much to this rosy caricature of the truth, discouraged and occasionally even bullied any correspondent who sought at that time to tell something of the tragic facts of the conflict in China, and thus unwittingly prepared the background for the disillusion which followed.

In her last mission, which ended today, Madame Chiang's objective was to get a declaration of support and a military mission from President Truman but again she was unsuccessful. She spent several days at Secretary of State George C. Marshall's house in Leesburg, and pleaded with him for moral and material support, but he was as adamant in his refusals as she was persistent in her entreaties.

Not long after she arrived, Chiang Kai-shek stepped down as president of the republic. During her stay here this time, the Chinese armies fell from one calamity to another, the remnants finally retreating to Formosa.

BILLED FOR TRAVEL

One day a communication regarding her was handed to Chinese officials. It was a bill for her transportation from China to the United States in a United States Navy transport plane. The President's decision not to defend or help guide the strategy of Formosa was the final disappointment, and led to her decision to leave this country.

She might have remained quietly and safely in America. She might have departed with bitter recriminations against the U. S., but she did neither. She spoke of the generosity and friendship of the past and went away, visibly older and obviously depressed. In short, her mission was a failure, but in good times or bad, it would have to be said that she had a certain style.

(AP Wirephoto)
MME. CHIANG KAI-SHEK

美齢の再訪米失敗を伝える記事

いへん困惑している」

美齢の訪米は完全に失敗だった。中国を共産化させてはならないという美齢の悲壮な思いは空回りするばかりだったのである。マスコミは「失敗に追われる蔣介石夫人。大衆的人気も不発」と手厳しく報じた。そして、取り巻きもなくマーシャル夫人ただ一人につき添われたワシントンの美齢の写真とともに、一つの時代の終わりを宣告するかのようにこう伝えた。「使い古された時代遅れの毛皮のコートと、スーツケース二つに衣装ケース一つだけの旅支度は、かつての贅沢《ぜいたく》とは比べるべくもない」

美齢はニューヨーク市郊外のリバーデールにあった靄齢の屋敷に引きこもり、公けの場に姿を見せることはほとんどなかった。その間にも中国大陸からは、国民党軍の敗走を伝えるニュースが日毎に伝えられた。

一九四九年四月二一日、解放軍は総追撃を開始し、一斉に長江の渡河作戦を敢行した。二四日には首都南京を、五月二七日には宋家の故郷上海を占領、更に南下を続けた解放軍は、その年のうちに、台湾をのぞく中国全土をほぼ掌握するに至った。

1944—46年に靄齢、美齢が住んだリバーデールの家

中国大陸に君臨した王朝が崩壊してゆく様を、なす術もなく見守るしかなかったファーストレディ美齢。四九年夏、彼女に中国政策についてのアメリカ政府の総括が伝えられた。「中国白書」である。そこにはこう記されていた。「腐敗が国民党の抵抗力を崩していた。彼らは自ら崩壊したのだ」

そして四九年一〇月一日、中華人民共和国成立。歓呼の声を受けて天安門上に立つ毛沢東のかたわらに、美齢は姉慶齢の姿を見出した。慶齢は、中央人民政府の副主席のひとりに選ばれたのだった。

この年、靄齢六〇歳、慶齢五六歳、美齢五二歳。孫文の死後、三姉妹の間でくり広げられてきた反目と和解、別離と再会の物語は、ここに大きな節目を迎えた。そして、三人の姉妹が共に集うことはその後二度となかったのである。

第七章 王朝の終焉

上海にある宋家の墓。両親と兄弟姉妹六人の名が連なる

中華人民共和国の成立

一九四九年一〇月一日、北京の天安門広場に集まった三〇万の人々を前に、毛沢東は中華人民共和国の成立を宣言した。

「われわれの民族は今から平和と自由を愛する世界諸民族の大家庭の一員となり、勇敢かつ勤勉に自らの文明と幸福を創造すると共に、世界の平和と自由を促進するために働くであろう。わが民族はもはや侮辱される民族ではなくなった。われわれはすでに立ち上がったのだ」

これに先立って毛沢東は周恩来と連名で、上海にいた宋慶齢を北京に招くために手紙を書き送っている。

「中国人民の革命は辛苦を重ねて、中山《ちゅうざん》先生（孫文）の遺志をいま実現しようとしています。先生（慶齢）が北方にお出ましになって、人民のこの歴史的偉業に参加されると共に、新中国をどのように建設するかについて指導下さるよう切に祈ります」

使者としてやって来た廖夢醒《りょうむせい》に対し、慶齢は語った。

「北京は私にとっていちばん悲しい土地です。そこに行くのは私には耐えられない」

1949年10月1日。中華人民共和国成立式典

四半世紀前の一九二四年、慶齢は国民会議開催のために夫孫文と共に北上の旅に赴いた。北京は、その途上倒れた夫孫文が世を去った悲しみの街であった。

だが慶齢は、中国共産党のなかに、未完に終わった孫文の革命を実現する力を見出していた。度重なる説得に応じ慶齢は北京に赴き、天安門上に立つことになったのだった。

中国建国の方針を定めた中国人民政治協商会議は、中央人民委員会主席に毛沢東、副主席に劉少奇《りゅうしょうき》以下六人を選出した。このうち、慶齢をふくめた三人が中国共産党以外の団体から選出されている。慶齢の存在は、新中国が、共産党だけではなく幅広い統一戦線によって成り立っていることを印象づけるものであった。

のちに慶齢は、劉少奇に対し共産党への入

党の希望を伝えている。しかし、共産党が慶齢に寄せる期待は別のところにあった。その間の事情をエプシュタインさんは語る。

「慶齢は、共産党だけではなく中道から左派までのすべての勢力が同意する象徴的存在でした。中国国内だけでなく国際的にも慶齢はそうした目で見られていたのです。彼女が権力を行使したことがなかったこともその理由です。そこで共産党は慶齢に、あなたは共産党員でないほうが革命にとって意味がある、とアドバイスしたのです」

周恩来はこう語ったと伝えられる。

「共産党員は中国に何百万人といるが、宋慶齢はただひとりしかいない。孫文夫人はひとりしかいない」

かつて抗日戦争のさなか、重慶を訪れた宋家の三姉妹の姿は、国民党と共産党の統一戦線のシンボルとして世界に喧伝《けんでん》された。そして今また慶齢は、新中国の統一戦線のシンボルとしての役割を要請されたのだった。

対米工作が失敗し国民党の敗北が決定的となると、ニューヨーク市郊外の靄齢の屋敷に引きこもっていた美齢は、ついにアメリカを離れることを決意した。台湾に国民政府を移した夫蔣介石のもとへもどるためである。それは危険な選択だった。CIAはすでに一九四九年一〇月、アメリカの支援がなければ一年あまりで台湾は共産党軍に占領されるとの見通しを示していたし、国際社会もますます国民党の敗北を現実として受け入れようとしていたからである。

美齢が帰国の準備を進めていた一九五〇年一月六日、イギリスが中華人民共和国を承認した。これに対し美齢は靄齢の屋敷に記者団を招き、カメラに向かってイギリスを厳しく非難した。

「弱虫どもが私たちを見捨てようとしています。イギリスは政治的陰謀の荒野に迷い、一国の国民の魂を数枚の銀貨と取り引きしたのです」

しかし欧米の反応は冷淡だった。アメリカのトルーマン大統領はこの前日、共産党軍と国民党軍が対峙《たいじ》する台湾海峡の情勢への不介入を声明していた。そして台湾へ去る美齢にさらに追い討ちをかけるかのように、アチソン国務長官が発表した太平洋の防衛構想には台湾は含まれていなかったのである。

美齢はアメリカを後にした。空港で記者団に囲まれた美齢は疲労の見える面持ちながら微笑《ほほえ》みをたやさず、

「これまで私たちを励ましてくれたアメリカの皆さんに感謝します。皆さんに神の恵みがありますように」

とだけ口早に述べた。そしてタラップの中ほどでいったん振り向き手を振ってカメラに応えると、機上の人となったのだった。

大陸反攻を悲願として

台湾へ移った国民党の国民政府は、日本統治下で台湾総督府として建てられたルネサンス様式の建物を総統府とした。以来この赤煉瓦《れんが》の建造物が台湾における国民政府の権威を象徴することになった。そして内戦のさなか総統職を辞していた蔣介石は、台北郊外の陽明山に官邸を設け、国民党総裁として実権を掌握しつづけた。

やがて一九五〇年三月に総統に復職した蔣介石は、アメリカの冷淡な対応にもかかわらず親米派を中心に政府の人事を刷新した。この頃すでにアメリカではトルーマン政権の台湾海峡不介入の方針に対し、中国大陸をみすみす共産党の手に渡したとして、いわゆる「中国の喪失」の責任を問う動きが出始めていた。こうしたアメリカ国内の動きを敏感に察知していた蔣介石は、中国共産党と国民党との対立を米ソの対立の中に位置づける、いわゆる「内戦の国際化」をもくろんでいたのだった。

そしてその機会は予想に反して早くやってきた。一九五〇年六月二五日、朝鮮戦争が勃発したのである。

トルーマン政権は半年前に発表したばかりの台湾海峡不介入政策を撤回し、第七艦隊を台湾海峡に出動させた。アメリカは一気に蔣介石政権へ接近をはじめ、翌年には軍事援助や経済援助が再開された。台湾はやがて経済成長を軌道にのせながら、反共の砦《とりで》として冷戦の時代を生きのびていく。

台湾に移った美齢は、台北市内の仕林官邸や郊外の陽明山官邸に居を定めた。美齢は戦時中から熱意を見せた戦災孤児の施設や病院の建設に台湾でも力を注いだ。美齢が創設した諸施設は華興小学校・中学校、振興復建医学センターなど数多い。しかしさまざまな公務のなかで美齢が最も重視したのが反共婦人連合会の活動であった。

美齢はその後もしばしばアメリカを訪れた。美齢の訪米は大きな話題となることはなかったが、母校ウエルズレイ大学での講演(一九五三年)や記者会見の場などでは、中国共産党について中国の国民を奴隷化する侵略主義者であるなどと厳しい非難をくり返した。そしてその一方で台湾を自由と人権の国として喧伝し、経済的発展をその証拠として挙げ、国民党の大陸反攻の夢への支持と支援を訴えつづけたのだった。

不信と軋轢

一九五〇年二月一四日、モスクワで中ソ友好同盟相互援助条約が調印された。中ソ両国は、アメリカのアジア政策に対して共同して抵抗にあたることが規定され、ソビエトから中国に対して三億ドルの借款などの経済援助が約束された。一方ソビエトは、一九四五年蔣介石の国民政府との友好同盟条約によって獲得した長春・旅順港・大連に関する権益を新政府に保証させた。

毛沢東とスターリンの関係は微妙な緊張をはらんでいた。ソビエトの指導に抗して、独自のやり方で革命を成功させた毛沢東に、スターリンは警戒の念を抱いていた。一方毛沢東も、日ソ中立条約やヤルタの密約に表れたスターリンの中国軽視に、不信感を覚えていたのである。しかし、アメリカをはじめとする資本主義国との友好関係を期待できない以上、中国は、ソビエトの援助に頼らざるを得なかった。

その翌年スターリンは、自らの名を冠した「スターリン平和賞」を宋慶齢に授与した。慶齢は受賞にあたって談話を発表している。

「平和は、全世界人民が最も必要とするものであり、スターリンの名は、最も平和を代表するものである。世界人民の平和を勝ち取る指導者スターリン万歳！　世界のすべての平和の力万歳！　世界平和万歳！」

しかし、中ソ両国の間の軋轢は間もなく表面化した。

スターリンの死後、その評価をめぐる論争に端を発した中ソ対立は、理論面から国家関係、やがては国際共産主義運動におけるイニシアチブの争奪へとエスカレートしていった。フルシチョフのソビエトは、中国との間で結ばれていた国防新技術協定を破棄した。原爆製造のサンプルの提供は拒絶され、ソビエトから派遣されていた技術者も引き揚げを命じられたのである。

一九五八年、毛沢東は「大躍進運動」を開始した。人民公社が全国に組織され、農民自らの手で大規模な水利工事が行われた。鉄鋼の生産量の倍増が掲げられ、土法炉《どほうろ》と呼ばれる粗末な製鉄炉が全国に造られた。人々は炉の中に鉄製の農機具や鍋釜《なべかま》までつぎ込み増産に励んだ。毛沢東はこの「大躍進運動」によって、ソビエトの援助に依存せぬ中国独自の社会主義建設を目指そうとしたのである。

しかし「大躍進運動」の結果は無残なものだった。土法炉に農民の労働力や資金・資材がつぎ込まれたため、農村は疲弊し食糧生産は落ち込んだ。この現実を隠蔽《いんぺい》する架空の生産報告が人民日報の紙面をむなしく飾った。しかも造られた鉄のほとんどは粗悪品で使い物にならなかった。溶鉱炉にくべるために木々が切り倒され、寒々とした山肌が残った。「大躍進」の熱にうかされ、過労を重ねてきた農民たちは次々に病に倒れた。荒廃した農村にさらに旱魃《かんばつ》や水害が追い討ちをかけた。「大躍進」の期間、農村では一五〇〇万とも二〇〇〇万ともいわれる餓死者が出たという。

だが慶齢はこうした状況を知ってか知らずかこの運動に協力しつづけた。慶齢は自分の屋敷に土法炉まで作り、訪問客があるたびにその効能を語った。

一九六〇年を迎え、中ソ関係はさらに悪化した。ソビエトは中国への援助を停止し、一三〇〇名あまりの技術者を青写真ともどもも引き揚げ、二五七のプラント契約を破棄、すでに稼働しているプラントの予備部品供給も停止した。それは中国の重工業建設に重大な障害を与え、「大躍進」の悲劇をさらに深刻なものとしたのである。

六一年一一月、慶齢はエプシュタインさんにあててこう書いている。

「中ソ関係のゆがみは長く、そして不正のものとなる気がします。フルシチョフがこのまま黙っていることはないはずです。本当になんていうことをしてくれたのでしょう」

六三年、中国共産党は、フルシチョフ政権に対し、修正主義化し資本主義の復活を図る反革命集団であるとの非難を浴びせた。この批判の理論的バックボーンとなったのは、毛沢東によって提起された「継続革命論」である。毛は社会主義段階となってもつねに資本主義復活の企《たくら》みは存在するため、これに対する階級闘争が継続しなければならないと説いたのである。

六四年一〇月一五日、フルシチョフが突如失脚した。

一〇月二六日、慶齢の手紙。

「あなたはニキータが自己批判を書いていることを知っていましたか。私はこのことを嘘だと思います。彼は間違いを認めるような人ではないわ」

フルシチョフ失脚の翌日、中国は初の原爆実験に成功した。

それは中国が、他国に依存せず強国に成長したことを、世界に向けてアピールするものであった。

遠ざかる祖国

中国の原爆実験成功は、西側諸国に新たな危機感を呼び起こした。そして翌一九六五年二月にはベトナム戦争が勃発《ぼっぱつ》、台湾から再び美齢が訪米したのはその年の夏のことだった。アメリカへ渡った美齢は、ホワイトハウスの客となりジョンソン大統領夫妻の歓待を受けた。そして楽隊に先導されたリムジンでニューヨークのチャイナタウンを訪れ、ボストンのウエルズレイとジョージア州のウエスレイアンの両母校で大々的な歓迎を受けるなど、その様子はさながら一九四三年の全米ツアーを思わせた。かつて日本の侵略と戦う盟友として迎えられたヒロインが、このときは共産主義と戦う盟友としてアメリカに迎えられた。一九四八年の訪米ではアメリカに深い失望を味わわされた美齢だったが、このときようやく長年の努力が報われたのである。

しかし、一九四三年とは大きな違いもあった。二〇年前、アメリカ中を沸《わ》かせたのは美齢の悲壮なまでの自由と平和の訴えであった。ところが今回アメリカの人々の注目を集めたのは、美齢の攻撃的な発言の数々だったのである。

美齢はまずサンフランシスコの記者会見で中国の原爆実験成功に懸念を表明した。そし

1965年に渡米した時の美齢

て中国大陸の核施設を攻撃して破壊することが必要だ、とアメリカに訴えた。「赤い中国のような無責任な政権は何をするかわかったものではありません。中共はヒトラーと同じくらい無責任なのです」

美齢の発言はこれに留《とど》まらず、ウエルズレイ大学ではアメリカ軍による北ベトナムの軍事施設や工業施設への核攻撃をも主張した。そしてこうした発言を受けて、美齢の今回の訪米の目的は、ベトナム戦争を拡大し、国民党軍が中国大陸に上陸するようにとの要請をジョンソン政権から引き出すことだ、との観測が伝えられるようになった。これは中共と国民党の「内戦の国際化」という、朝鮮戦争以前に蔣介石がとった戦略の変奏曲にすぎなかった。

美齢の強硬な意見に、アメリカ政府は困惑を隠せなかった。中国の核開発に懸念を深めてはいたが、しかしその一方で中国は北ベトナムへ派兵しないことを表明しており、アメリカ軍による北ベトナム爆撃はこの前提のもとに展開されていた。アメリカは、台湾を反共の砦《とりで》と認めつつも、台湾海峡がこの時期に再び緊迫することを望んでいなかったのである。アメリカはかつて朝鮮戦争勃発の際、台湾海峡不介入の政策を捨て、台湾防衛のため第七艦隊を派遣した。しかし同時に、トルーマン大統領は「大陸反攻」を断念するようそのときすでに蔣介石に要求していた。長引く冷戦のなかベトナムに深入りしていったアメリカは、あいかわらず中国大陸奪還の主張をくり返す美齢を持てあますばかりだったのである。

一九六五年一一月、美齢は母校ウエスレイアン大学で記者会見に臨んでいる。最近、ウエスレイアン大学の資料室から発見された一六ミリフィルムには、大学の応接室で大勢の記者団に囲まれて質疑に応じる六八歳の美齢の姿が映っていた。襟の高い、膝《ひざ》までスリットの入った漆黒のチャイナドレスに身を包み、ハイヒールのパンプスをはいた美齢は、アンティークの家具が並ぶ客間の中央に座して一つ一つ質問をさばいていく。そのなかに、記者の唐突な質問に美齢が気色ばむ場面がこのフィルムに記録されていた。記者はこう質問した。

「いつ中国大陸の侵略を開始するつもりなのか」

一瞬の沈黙の後、美齢は毅然《きぜん》として答えた。

「あなた方がなぜ侵略などとおっしゃるのかわかりません。侵略とは他人の所有する土地を奪うことをいうのです。しかし中国本土は私たちの故郷です。私たちは祖国へ帰るのであって、侵略するのではありません。中国大陸は外国ではないのです」

アメリカ国民に向かって自由主義国の理想と義務を訴える美齢の過激な発言の裏には、故郷への熱い思いがあった。美齢は、日本軍から奪い返した後わずか三年にして再び去らねばならなかった上海に、変わらぬ郷愁を抱いていたにちがいない。しかし、美齢の思いとは裏腹に、国際社会の中で、台湾は次第に孤立化の道をたどった。

一九七一年には中華人民共和国が国連の代表権を認められ、国民政府は追放された。そして翌年二月にはアメリカのニクソン大統領が電撃的に訪中し、毛沢東と握手を交わしたのである。

一九七五年四月五日、蔣介石は老衰のために八八歳の生涯を閉じた。このとき美齢七八歳。美齢が夢みる祖国帰還の日は、遠ざかっていくばかりだった。

文化大革命

上海の旧フランス租界に、慶齢が戦後しばらくの間暮らした屋敷が残されている。フランス風のこぢんまりとした洋館で、もともとは慶齢の義兄孔祥熙がオフィスとして使っていたという。上海の住宅難のため、旧租界の他の洋館と同じく、現在はいくつもの家族がひとつの建物のなかに同居している。

そのなかの一番古くからの住人・府君輝さんは語る。

「宋慶齢が昔住んでいた屋敷で暮らせるなんて、なんと光栄なことかと思いました。慶齢さんはとても草花を愛していて、庭は緑を敷きつめたようでまるで大きな花園でした。赤・緑・青など色とりどりの鳥が集まってきました。野ウサギもいましたよ」

しかし今、この屋敷には慶齢が暮らしていたころの面影はない。国を挙げて増産に取り組んだ「大躍進」の時代、屋敷の入口の鉄製の門は取りはずされ土法炉に投げこまれた。切り倒された庭の木々とはがされた芝生は燃料とされ、小鳥のさえずりも途絶えた。文化大革命が始まると、毛沢東の肖像を掲げた若者たちが乱入し、家具や調度品を破壊していった。

荒れ果てたこの屋敷に、慶齢が訪ねてきたことがある。

「私が娘と庭にいたら、背後に人の気配を感じましてね、よく見ると宋慶齢でした。誰もお供を連れずひとりでした。彼女は庭をゆっくりと一回りしました。そして慶齢は、娘の頭を優しくなでてくれて、上海の言葉で『さよなら』といって帰って行きました」

一九六五年に始まる文化大革命の一〇年間は慶齢にとっても試練の時代だった。

「プロレタリア文化大革命は、人々の魂に触れる革命である。資本主義の道を歩む実権派を打倒し、その指導権を革命派に取り戻せ」

毛沢東の言葉を後ろ盾とした紅衛兵によって、多くの人々が反革命分子の烙印を押された。旧国民党の関係者、その子どもたち、さらには外国で教育をうけたというだけで迫害の対象となった。

文革の指導理論となったのは社会主義段階での階級闘争の必要を説いた「継続革命論」であった。資本主義復活を企むものは誰か、どこにいるのか、かつてソビエトを批判するために研ぎ澄まされた刃《やいば》が、国内に向かって振り下ろされることになったのである。

一九六六年八月二四日、慶齢はアメリカの友人に向けて書き送っている。

「あなたももうここの変わりようはご存じだと思います。文化革命運動が進み、今後、修正主義が汚らわしい顔をのぞかせることはなくなるでしょう」

しかし、フルシチョフを批判し、継続革命論を支持した慶齢にも、やがて紅衛兵の攻撃は及んだ。慶齢は、国民党総裁蔣介石の義理の姉であり、しかも共産党員ではなかった。「共産党員ではない慶齢を、政府副主席の座から追放すべきだ」壁新聞にスローガンが躍り、慶齢はその髪型まで「ブルジョア的」だと謗《そし》られた。

当時、慶齢の秘書をつとめていた杜述周さんは、慶齢から屋敷で飼っていた鳩を殺すよう命じられたことがあるという。

「四人組が牛耳っていた新聞に『鳩を飼うのはブルジョアの生活様式だ』という記事が載ったのです。慶齢が私たちに鳩を殺すよう言ったのはその直後でした。私たちが反対して結局、鳩は殺さないことになったのですが、それほどまでに慶齢は四人組を恐れ、弱みを握られないよう気を遣っていたのです」

慶齢は屋敷の中に閉じこもることが多くなった。手紙も自由に出せなかった。慶齢は密かに秘書のひとり張珏さんに手紙を託している。張珏さんは尾行を撒くためにバスを何回も乗り継いだという。こうしてアメリカの友人のもとに届けられた手紙には、慶齢の苦い思いがにじんでいる。

「いまの私には向いていない重責を背負っています。いろいろなことが次々に起こり、それについていくだけでもいつも勉強しなければなりません。不眠症と関節炎のために、仕事をちゃんとこなそうとしても、なかなかうまくいきません。しかし、人に取り残されるのはいやなので、必死でついていこうとしています」

紅衛兵の攻撃に対し、慶齢を擁護する論陣を張ったのは周恩来だった。

「宋家の三人の兄弟・三人の姉妹のなかで慶齢だけが革命の戦士として見事に戦った。慶齢の妹が蔣介石の妻であるというだけの理由で彼女を攻撃してはならない」

だが、慶齢に対する攻撃は思わぬ形で表れた。彼女の父宋耀如と母倪桂珍が葬られていた墓が何者かの手で暴かれたのである。さらに迫害は、慶齢のいとこにあたる倪吉士さんにまで及んだ。

「私は宋一族が再び大陸で動き出すときのために配置されたスパイだと疑われました。私が大学を出て就職するときに、宋子文の紹介状を持っていたことがその理由でした。もう三〇年以上も前のことが、そうやってあげつらわれたのです」

マサチューセッツ工科大学を出て以来ずっと電力会社にエンジニアとして勤務してきた倪さんは、仕事を奪われ小部屋に押し込まれ自己批判を強いられた。新たに与えられた仕事は、人糞を荷車で運ぶことだった。

その翌年、倪さんの妹倪吉貞が自ら命を絶った。かつて蔣介石と美齢の結婚式に出席し、新郎新婦に花束を手渡した少女である。慶齢はこの倪吉貞を以前から可愛がり、いずれは自分の屋敷に引き取ろうと考えていた。外国留学の経験があり、英語が堪能で、しかも心許せる従姉妹と晩年を過ごす日を慶齢は心待ちにしていた。

倪吉士さんは語る。

「妹は上海にある慶齢の屋敷の向かいのビルから飛び降りて自殺しました。最後に慶齢の家を見て、心の慰めにしたいとでも思ったのでしょうか。北京にいた慶齢はこれを聞いてショックを受け床に伏してしまいました。実はそのときすでに慶齢は白血病に冒されていたのですが、私はそのことを知りませんでした。慶齢自身も気づいていなかったのです」

倪吉士さんは文化大革命の時期、慶齢からたびたび手紙をもらったという。その手紙にはどのようなことが記されていたのか、私たちの質問に倪さんはしばしば言葉を探しあぐね、それからゆっくりと口を開いた。

「そのことについては私は何とも言えません。なぜなら慶齢からの手紙には、どんなことがあっても他人に見せないようにと書かれていたからです。私が生きているかぎり約束は守るつもりです。

ただ一つ言えることは、彼女が政府のいかなることに対してもすべて満足していたわけではないということです。そして彼女が話した人々の多くは今も健在で影響力を持っています。

慶齢からの手紙には、読み終わったら焼き捨てて下さいと書いてありましたが、私は今もその手紙を持っています。一〇〇年後お見せしましょう。今はお教えすることはできません、お許し下さい……」

一九七六年一〇月六日、王洪文・張春橋・江青・姚文元《ようぶんげん》の四人組が逮捕され、一〇年あまりにわたって中国を揺るがした文化大革命は終焉《しゅうえん》に向かった。その日慶齢は、喜びをあらわにしてこう語ったという。

「みんな聞いた？　北京の酒屋のお酒が売り切れたそうよ。四人組の逮捕を祝うために三匹のオス蟹と一匹のメス蟹を食べ、蟹には酒だというので、お酒が売り切れてしまったのよ。ねえ、みんな聞いてる？……」

静かな終幕

慶齢の晩年は静かに過ぎて行った。朝牛乳一杯と軽い食事をとり、一一時過ぎ庭で鳩に餌をやり、四時過ぎラジオでニュースを聞く。

慶齢は映画をとくに楽しんだ。慶齢ばかりでなく宋家の三人姉妹はみな少女時代から映画を愛した。昔上海の屋敷では、姉妹がそろって映写機のまわりに集まったこともあった。

中国政府から与えられた広大な屋敷の一室で、慶齢は警備の兵士や使用人たちを招いて映画会を開いた。一度に四、五本もまとめて観ることもあった。夜が更けて使用人たちは一人、また一人と帰っていく。だが慶齢は最後までスクリーンを見つめていた。『風と共に去りぬ』がお気に入りだった。かつて三人の姉妹が留学生活を送ったジョージアを舞台に、たくましく生き抜くスカーレットの姿を、慶齢はどのような思いで見つめていたのだろうか。

一九八〇年、以前慶齢と行動を共にしていたアメリカ人ジャーナリスト、ハロルド・アイザックスが、三〇年ぶりに彼女を訪ねた。

アイザックスは記している。

「彼女はすでに年老いていて、歩くにも介添えが必要となっていたが、かつて彼女がいかに美しかったか思いおこすことはできた。『痛風なのよ』と言って身体が不自由になったことを小さな手で示した。それでも、いくつもの儀礼的な仕事をこなさなければならないと聞いて、悲しかった。……」

「慶齢は唐突に少女時代のことを話し出した。……そして孫文の業績が正当な評価を得ていないと不満を見せた。

慶齢は言った。

『やはり、一つの帝国を崩壊させるのは簡単なことではないのですよ』……」

「宋王朝」という「一つの帝国」を崩壊させるために戦いつづけた慶齢。彼女のなかで、蔣介石に対する怒りは終生解けることはなかった。しかし美齢について彼女はこう語っている。

「美齢は心から蔣を愛している。美齢がいなかったら蔣はもっと酷いことをしていたにちがいない」

中華人民共和国成立の直前、共産党は「人民の敵」の冒頭に蔣介石と美齢、つづいて子文、孔祥熙、靄齢の名を挙げ、国民党に対しその身柄の引き渡しを迫った。慶齢が「人民の敵」のリストに、自分の姉や妹の名を見出したとき、彼女の胸の中を苦い思いが去来したにちがいない。「一つの帝国を崩壊させること」は慶齢に大きな代償を支払わせたのだ。

たとえ彼女の生涯が、宋一族との戦いの明け暮れであり、それが自ら選んだ道であったにしても。

慶齢の秘書だった張珏さんは語る。

「ある時、慶齢先生は私に『あなたは兄弟が何人いるの』と尋ねました。『男三人女三人の六人です』と私が答えると、先生は『私と同じね』と言いました。『でも私はあなたとちがって、兄弟姉妹に会うことはもちろん、手紙を書くこともできないのよ』

そう言って慶齢先生は、私の後ろの壁のほうを見つめていました。そこには孫文の肖像が掛けられていました」

慶齢はアメリカで暮らしている兄弟や親戚《しんせき》の消息をくり返し友人に尋ねている。

「靄齢の長男のデビッドに会ったことがありますか。私は親族の住所はまったくわかりません。……」

「私の二番目の弟の子良が、重い病気で財産もなく家族に頼っていると聞きました……」

「子安の息子はどんな仕事をしているか知っていますか。……」

「子文の未亡人のローラが、難病に苦しんでいるのがかわいそうです。……」

宋一族のなかで大陸に残ったのは、慶齢ただひとりであった。

慶齢の古くからの友人沈粋縝さんによれば、慶齢は美齢との再会を心から願っていたと

晩年の慶齢（1980年）

いわれる。

「慶齢は美齢が中国に帰ってきて再会できる日を楽しみにしていました。どんなところに住めば美齢にとって過ごしやすいのか。どんな話をしたらいいか。細かなことまであれこれと慶齢は思い描いていました。美齢が到着したら私が迎えにいくことになっていました。朝、私が美齢の宿まで迎えにいき、昼間は二人で過ごし、そして夜になったらまた私が送っていくのです。そうすれば美齢も気づまりではないでしょうし、人に見られることもありません。もし人に見られたとしても、少しも恐れることはないのだと慶齢は言っていました」

アメリカの美齢から慶齢にあてて送られた手紙が残されている。反目と和解、訣別と再会の歳月の中で、姉妹は数多くの手紙をやりとりしたにちがいない。しかし、中国側から公開されたのは、一九四九年五月の日付けがあるこの一通のみである。

「お姉さん、あなたのことをいつも思っています。中国でつらい思いをしているのではありませんか。私たちにできることがあればお知らせ下さい。でも私の力が及ばないほど、お姉さんは遠く離れてしまっているように思えます……」

「宋王朝」に終幕が近づいていた。

一九六七年八月、孔祥熙が八六歳で亡くなった。六九年二月子安が、七一年四月には子文が七七歳で死去した。

そして一九七三年一〇月一九日、靄齢が世を去った。彼女は戦後二度と中国に帰ることなく、ニューヨークで八四歳の生涯を閉じた。その死は蔣介石の義理の姉の死として新聞の片隅に小さく報じられただけだった。

一九八一年五月二九日、宋慶齢は八八年の生涯を閉じた。

その二週間前、中国共産党中央政治局は宋慶齢の共産党入党を認めた。慶齢の長年の希望はようやく容れられたのである。病床の慶齢はこの知らせを聞いてかすかな笑みを浮かべたという。

さらに共産党は、死を目前にした慶齢に、中国国家名誉主席というこれまでに前例のない地位を与えている。エプシュタインさんは、その政治的な意味合いをこう語る。

「宋慶齢を国家名誉主席にしたことはいわば台湾へのかけ橋を意味していました。なぜなら台湾でも慶齢は国の父である孫文の夫人として記憶されているからです。いわば国の母なのです。この頃、中国は台湾との関係について、武力解放から平和的統一に政策を転換しようとしていました。慶齢は『一つの国家・二つのシステム』の象徴として、国家名誉主席の地位を与えられたのです」

生涯にわたって統一戦線の象徴であった慶齢。

慶齢の名前は、その死後も、台湾海峡を隔てて相対する二つの政権の統合のシンボルとして掲げられることになったのである。

美齢・最後の闘争

未亡人となった美齢の前で、台湾もまた新たな政治の季節を迎えようとしていた。それは蔣介石の死去から、後を継いだ長男蔣経国の死去を経て、今日まで続く大きな転換の時代の始まりだった。

一九七五年に蔣介石が他界すると、副総統の厳家淦が規定により自動的に国民政府総統に昇格した。そして国民党総裁は蔣介石を記念して永久空位とされ、新たに設けられた国民党主席に蔣介石の長男の蔣経国が就任した。これらの人事に大きな混乱はなかったが、蔣経国の党主席就任に反対する一派から美齢を二代目の総裁として擁立せんとする動きが浮上し、台北に緊張が走る一幕があったともいわれている。

台湾では国民政府総統の下に日本の内閣にあたる行政院が置かれ、それとは別に国民党党首たる総裁のポストがあった。これまでは蔣介石が総統と総裁を兼ねていたので問題はなかったが、ここに至って総統と国民党党首が分離するという事態になったのである。孫文以来の伝統を誇る国民党が一党専制を行っている下では、事実上最高権力を握るのは国家元首たる総統よりも、国民党総裁だった。したがって、この総裁のポストを押さえることが、次の時代の台湾政治を押さえることであった。美齢の側近たちと、美齢の実子ではない蔣経国の側近たちの間に水面下の権力闘争があったとしても不思議ではない。

しかし、蔣経国の党主席就任は阻止しようもなかった。蔣介石はその晩年に、すでに蔣経国をかなめとした後継体制を整えていたからである。台湾移転後、蔣介石は国民党内のライバルや軍の実力者、そして台湾人勢力などとの激しい権力闘争を勝ち抜かねばならなかった。そして、長男の蔣経国こそは唯一信頼できる人物だった。美齢とてよき伴侶《はんりょ》ではあったが、宋子文や孔祥熙といった強力な財閥勢力がその後ろに控えていた。だから蔣介石は並みいる政敵をやがて巧みに追い落とし、蔣経国を後継者として権力の中枢に据えていったのである。蔣経国は一九六九年に行政院副院長（副首相にあたる）となり、一九七二年には行政院長に就任。蔣介石の最晩年には、蔣経国は新しい世代の側近たちを従え、実質的にはすでに権力を掌握していたのだった。

この間の美齢の動きは定かでない。総裁を棚上げして主席を設けたのは、権力闘争に敗れた蔣介石夫人美齢の顔をつぶさないための苦肉の策だったともいわれる。しかしその一方で、美齢擁立説を知った彼女は「いたずらに混乱を引き起こす動きだ」と激怒し、党首就任の意志など毛頭ないことを明確にしたともいわれている。いずれにしろ、蔣介石死去という台湾にとって大きな危機を孕《はら》んだ出来事は、父から息子への世襲により収拾された。そして結局のところ、美齢はこの権力継承劇において大きな役割を演じることはなかった。

台湾政治はその後、蔣経国を中心に運営されていくことになる。一九七八年、厳家淦の総統任期が満了となると、蔣経国が総統に選出され再び国民党主席を兼ねることになった。そして美齢はこの年、台湾を離れ、またアメリカへと旅立った。それは隠遁《いんとん》というのにふさわしく、靄齢の子どもたちの邸宅で長期療養の生活に入るための旅となったのである。

かつて蔣介石を迎え入れることで完成し、国民党と国民政府をつねに陰で支えてきたのは「宋王朝」だった。が、いまや孔祥熙、宋靄齢、宋子文らはみな他界し、後を継いだ宋家の人々も権力の中枢から遠く離れてしまった。そして美齢のアメリカ滞在が長引く間、台湾では蔣経国の指揮のもと、時代は大きく変化しはじめていた。

美齢が再び台湾にもどったのは蔣介石生誕百周年記念式典への出席のためだった。一九八六年一〇月、じつに八年ぶりのことである。美齢は式典の壇上から、「孫文、そして蔣介石の遺志を継ぎ、三民主義の光が中国大陸を照らすまで、革命の偉業を遂行してほしい」と、しっかりとした口調で述べた。

会場の最前列には、蔣経国の姿があった。このとき蔣経国はすでに七七歳、八九歳にしてなお心身かくしゃくたる美齢に比べ、健康は目に見えて衰えつつあった。蔣経国は前年に白内障を患い、美齢帰国の半年前には心臓にペースメーカーをつける手術を受けていた。この時期の美齢の帰国は、新たな波乱を予告するかのようだった。

実際、それからわずか一年あまり後の一九八八年一月一三日、蔣経国が世を去った。そして台湾の政局は再び激動の季節を迎えたのである。

このときも、国民政府総統には副総統の李登輝が自動的に昇格した。しかし、蔣経国は国民党主席については後継の規定も設けず、副主席も置いていなかった。その真意は今もって明らかでない。そして対立は、再びこの国民党主席の座を巡って起こったのである。

成り行きでは総統に就任した李登輝が主席代行になり、七月の国民党党大会で正式に主席に選出されるはずだった。党内革新派や世論も李登輝就任を支持していた。しかし、これに対し党内保守派が反対の声を上げげたのである。

李登輝は蔣介石らとともに台湾へ移ってきた「外省人」ではなく、台湾出身の「本省人」だった。国民政府の台湾移転以来、実権を握ってきたのは大陸出身の外省人たちだった。約六〇万の軍人をふくめ、二〇〇万人といわれる外省人を中心に、国民党は大陸反攻、つまり中国大陸統一と故郷帰還への思いを抱きつづけてきたのである。

美齢も危機感を強めていた。今回は美齢自身が一方の派閥の中心にいたといわれている。それはこの度の後継問題は宋美齢か蔣経国かといった「王朝」内の争いではなかった。それは国民党の存在意義そのものにかかわる争いだった。李登輝の総統昇格は規定上やむを得なかったし、総統は事実上国民党主席の下に位置するため、さして問題ではなかった。問題は国民党主席の座を台湾出身者に引き渡すことだった。孫文以来の伝統ある国民党が台湾という一地域の一政党に矮小化《わいしょうか》されてしまうのではないか。

主席代行を選出する国民党中央常務委員会の開催日が迫っていた。が、党内はその前夜になっても意見がまとまらなかった。美齢を中心とする外省人保守派は、深夜まで李登輝選出回避の働きかけをしたといわれている。しかし一九八八年一月二七日、国民党中央常務委員会は決断した。台湾出身の李登輝を国民党主席代行に選出したのである。台湾ではこの政治的攻防を「宮廷クーデターの失敗」、また「小さな無血革命」とも呼んだ。

台湾政治はすでに新しい時代へと踏み出していた。蔣経国は美齢帰国の前年から「蔣家のものの権力継承はない」とくり返し発言していたし、死の前年には台湾出身の本省人たちに向かって「ここはやがてあなた方のものになる」と発言するなど、外省人中心のそれまでの政治からの転換を主張していた。そして台湾国内やアメリカからの民主化要求の強い圧力もあり、野党民進党の結成を容認したり、一九八七年には一九四九年以来続いた戒厳令を解除するなど民主化に先鞭《せんべん》をつけていた。そしてここに至り、ついに台湾出身の国民政府総統、そして国民党主席が誕生した。蔣経国の死は、蔣介石の死以上に、一つの時代の終わりを告げる出来事だったのである。

一九八八年七月七日、国民党の党大会、第一三回全国代表大会が開幕した。党内保守派は大会前日まで巻き返しを図ったともいわれるが、もはや流れは変えられなかった。国民党は一一七六対八の圧倒的賛成多数で、李登輝を正式に国民党主席に選出したのである。

七月八日午前一〇時一五分、蔣介石未亡人宋美齢が大会会場に姿を見せた。会場を埋めた代表たちが敬意を表し起立して拍手で迎えるなか、李登輝に支えられながら美齢は壇上の演台に向かった。白地に小さな黒い柄のついたチャイナドレス、短い黒い上着。九一歳の美齢は足もとはさすがにおぼつかなげであったが、手にした杖《つえ》にすがることもなくステージの中央に立った。

「みなさんこんにちは」

美齢のあいさつに、会場の代表たちは座席から「こんにちは」とあいさつを返す。

「みなさんと共に今日ここで党大会に参加できることを本当にうれしく思います」

美齢はこう述べると、喉《のど》の具合が悪いため失礼する、と前置きをした上で、党秘書長の李煥に演説の代読を任せた。

「目下、老成したベテランが引退し、新人たちが後を継ごうという時期にあります。しかし、大樹のごとく新緑が繁茂し卓然と大地に立っていられるのは、その古根がしっかりとしているからなのです。党内の、胡麻塩頭で歩行すら困難な老人たちの、党と国に対する貢献をわずかなりとも忘れてはいけません。新しきを創造しつつも古きを忘れず、前進を続けながらもその本を忘れてはならないのです。わが国民党の歴史と経験に学び、新しい国と党をつくっていこうではありませんか」

この大会が、今日に至るまで美齢が公けの場に姿を現した最後の機会である。

一九九一年九月二二日、宋美齢は中華航空特別機で再びニューヨークへと旅立っていった。蔣介石と結婚し、中国のファーストレディとなってからすでに六〇余年の歳月が流れていた。

宋家の墓標

慶齢は、政治的なアピールや声明文以外、自らを語ることをしなかった。たびたび自伝の執筆の依頼が寄せられ、彼女の伝記を書きたいとの申し出もあったが、慶齢は断りつづけた。そして死に際しても、とくに遺言らしきものは残さなかった。ただ一つのことを除いては……。

上海、万国公墓。ここに慶齢は、両親と共に葬られている。これこそが慶齢のただ一つの願いだった。孫文と墓を共にするのではなく、革命の戦士と列せられるのでもなく、慶齢はかつて文化大革命のさなかに暴かれたこの墓に、宋耀如夫妻の娘として葬られることを望んだのだった。

墓石には、父と母の名が刻まれている。そしてそのかたわらに、両親をここに葬った六人の子どもたちの名が並んでいる。文革のときにいちど削り取られた姉妹と兄弟の名である。

宋子文
宋子良
宋子安
そして……
宋靄齢
宋慶齢
宋美齢

上海にある宋家の墓

中国共産党は、美齢をはじめ大陸を追われた宋一族の人々を慶齢の葬儀に招いた。しかしこの申し出に応じられる者は一人としていなかった。

大陸、台湾、アメリカと三人の姉妹がそれぞれの地で生きはじめたのちも、中国では宋家の三姉妹が毎年一度香港に集まり食事を共にするという噂がささやかれていた。人々は、その噂話のなかに、あり得たかもしれないもう一つの中国の姿を、思い描いていたのかもしれない。

二〇世紀の中国の激動を生き抜いた宋姉妹。その最後のひとり、宋美齢は今も健在である。毎朝六時に起き、聖書と新聞を読む。たまに訪れる来客とは、政治の話は一切避け、ただ世間話をする。

一九九八年三月、宋美齢はアメリカ・ニューヨークで百歳の誕生日を迎えたという。

あとがき

NHKスペシャル番組部　チーフ・プロデューサー　伊藤　純

「昔、中国に三人の姉妹がいた。一人は金を愛し、一人は権力を愛し、一人は中国を愛した」

私たちは、この不思議な魅力を放つフレーズに惹かれてドキュメンタリー・ドラマ「宋姉妹」の制作を思い立った。本書は、一九九四年七月に放送された番組の内容を中心に、その後明らかになった事実も盛り込みながら書き下ろしたものである。

筆をおこうとしている今、私たちの最大の心残りは、蔣介石夫人宋美齢とついに面会できなかったことである。番組の制作が決定した直後から、私たちは宋美齢へのインタビューを実現するため、台湾・アメリカ・中国のあらゆるルートを探り、彼女との接触を試みた。美齢はニューヨークの郊外に住んでいたが、身辺警護の意味合いもあって公式にはその住所すら明らかにされていない。しかも美齢の周囲を長年にわたって彼女に仕えてきた側近たちが固めており（美齢の姉・靄齢の娘もその一員である）マスコミからの取材要請はまずその段階でほとんどすべてシャットアウトされてしまう。それでも私たちは、美齢本人の目にすら触れないかもしれない手紙を、くり返しアメリカに書き送った。

一九九三年の暮れになってかすかな可能性が見えてきた。美齢に近いある人物が、私たちの取材意図と熱意に理解を示し、少なくとも美齢自身に我々の意志が伝わるよう取り計らってくれることになったのである。私たちは更に言葉を尽くした手紙を認めた上、そこに一巻のビデオ・テープを添えた。そのテープにはまず、美齢が一九四八年以来目にしていないはずの中国大陸の懐かしい風景が収められた。宋家の人々が団欒のひとときを過ごした上海旧フランス租界の屋敷、美齢が蔣介石と共に暮らした南京や重慶の邸宅、その周囲の変わらない町並み……。続いて画面には、私たちが世界中から収集した美齢の記録映像が現れる。蔣介石との結婚式、西安に降り立った美齢、抗日のアピールを発表する美齢、重慶に集う三姉妹、日本との戦争に勝利し上海に凱旋する美齢……。そしてビデオ・テープの最後に、かつて美齢と親しかった人々が登場し、それぞれの思いを彼女に向けて語った。姉妹の従兄弟の倪吉士さんも、友人の沈粋縝さんも、美齢にもう一度会いたいというかなわぬ願いを語ってくれた。私たちは一縷の期待を込めてこのビデオ・テープを美齢のもとに送った。常に毅然とした振る舞いで弱みを見せない美齢でも、遠い異国で晩年を過ごすうち望郷の念を抑えがたくなる瞬間があるのではないか、そしてこうした映像を通じて、私たちの番組に注ぐ情熱をくみ取ってもらえるのではないか……。

だが、美齢の心は動かなかった。伝えられたところによれば、私たちの送ったビデオを美齢は見はしたものの、「Nice Collection」とひとこと漏らしただけだったという。私たちはなおも食い下がった。インタビューが不可能ならせめて倪さんや沈さんに向けて手紙でメッセージをもらえないだろうか、一言でもかまわない、中国の二〇世紀の激動を身をもって生き抜いた一人の人間が、今ここに確かにいる、そのことを私たちは伝えたいのだ。

しかしこの願いもかなえられなかった。美齢から最後に送られてきたのは、最近撮影されたものらしい彼女の一枚のポートレートだけだった。美齢のサインが一応記されてはいたが、それ以外彼女の存在を実感させるものは何もなかった。美齢は、どのような形であれ、私たちの番組に自分の痕跡を残すことを拒んだのだ。三年越しの交渉はこうして実ることなく現在に至っている。

美齢の頑なな沈黙の裏には、メディアを知りつくしているがゆえのメディアに対する不信があったことだろう。積極的にメディアに登場することでアメリカの人々の心をとらえた美齢は、ひとたび風向きが変わった時、メディアがいかに冷淡な顔を見せるものかを思い知らされてきたからだ。あるいは彼女は、台湾情勢が流動的な中ではどのような形であれ発言することを差し控えるべきだという政治的配慮を働かせたのかもしれない。

いずれにしても結局私たちは、美齢の心を動かすことはできなかった。今となってみれば、その沈黙こそが私たちに向けたメッセージなのだとも思える。あなたがたに私の、私たちの中国がわかるのか？　中国人が経てきた時間の重みと幾重にもわたる屈折がわかるのか？　あらためて私たちは、取材の現場で直面した私たちと中国を隔てる壁を思いおこす。「宋姉妹の番組を作ってくれることは嬉しい、でも日本人がそばにいることがわかっただけで私は心臓がおかしくなるの」とつぶやいた老女がいた。また本編でも触れたように三姉妹の間で交わされたにちがいない手紙は、ただ一通をのぞいて中国から公開されなかった。そして台湾からは、取材許可すら下りなかった。歴史の傷はまだ癒えることなく、生乾きのままきっかけさえあれば血がふきでるような中国がそこにある。そして美齢は、今もこうした中国と共に生き、果てしない戦いに明け暮れた二〇世紀を終えようとしている——。

今回の取材にあたっては多くの方々のお力添えをいただいた。中でも北京・上海・重慶の宋慶齢基金会の皆さん、番組全般にわたってアドバイスをしていただいた宋慶齢研究者の久保田博子さん、そして宋慶齢とかつて行動をともにし、彼女の生涯を膨大な資料に基づいて跡づけようとしているイスラエル・エプシュタインさん、こうした皆さんの協力をいただかなければ、番組はもちろん、本書も世に出ることはなかった。この場を借りて厚く御礼したい。

今、私の前には、宋美齢から送られたポートレートがある。中国と台湾がそれぞれに大きく変貌する中で、宋美齢女史の平穏な日々が一日でも長く続くことを心から祈っている。

一九九八年九月二十五日

参考文献

〔和書〕

安藤正士『文化大革命と現代中国』(岩波新書、1986)
五百旗頭真『米国の日本占領政策』(中央公論社、1985)
伊藤潔『台湾』(中公新書、1993)
入江昭『太平洋戦争の起源』(東京大学出版会、1991)
エドガー・スノー著/松岡洋子訳『目ざめへの旅』(紀伊国屋書店、1963)
金沖及著/狭間直樹訳『周恩来伝　下巻』(阿吽社、1993)
小島晋次・丸山松幸『中国近現代史』(岩波新書、1986)
J・バートラム著/岡田丈夫・香内三郎・竹内実訳『西安事件』(太平出版社、1973)
ジョン・コブラー著/小鷹信光訳『ヘンリー・ルース』(早川書房、1969)
スターリング・シーグレーブ著/田畑光永訳『宋王朝』(サイマル出版会、1986)
宋慶齢著/仁木ふみ子訳『宋慶齢選集』(ドメス出版、1979)
長野広生『西安事変』(三一書房、1975)
ハロルド・R・アイザックス著/鹿島宗二郎訳『中国革命の悲劇』(至誠堂、1971)
前田哲男『戦略爆撃の思想』(朝日新聞社、1988)
吉田一彦『シェンノートとフライングタイガース』(徳間書店、1991)
ルシアン・ビアンコ著/坂野正高・坪井善明訳『中国革命の起源 1915-1949』(東京大学出版会、1989)
ロナルド・ハイフワーマン著/坂井文也訳『日米航空決戦』(サンケイ新聞社、1973)
若林正丈『台湾』(東京大学出版会、1992)
「孫文と宋慶齢の結婚の時期について」久保田文次・久保田博子(「辛亥革命研究」1981年3月号)
「中国近代史における宋氏一族」久保田博子
「宋慶齢における思想の形成と発展」久保田博子

〔洋書〕
Chang, Jung. *Mme Sun Yat-sen* (Penguin Books, 1986)
Chen, Percy. *China Called Me* (Little Brown, 1979)
Chennault, Claire Lee. *Way of a Fighter* (G. P. Putnam's Sons, 1949)
Davies, John Paton, Jr. *Dragon by the Tail* (W. W. Nortos, 1972)
Drage, Charles. *Two-Gun Coken* (Jonathan Cape, 1954)
Epstein, Israel. *WOMAN IN WORLD HISTORY Soong Ching Ling* (NEW WORLD PRESS, 1993)
Han Suyin. *Birdless Summer* (G. P. Putnam's Sons, 1968)
Hahn, Emily. *The Soong Sisters* (Doubleday, Doran, 1941)
Isaacs, Harold R. *RE-ENCOUNTERIS IN CHINA Notes of a Journey in a Time Capsule* (An East Gate Book 1985)
Owen, Lattimore. Fujiko Isono. *China Memoirs : Chiang Kai-Shek and the War Against Japan* (UNIVERSITY OF TOKYO PRESS, 1990)
Selle, Earl Albert. *Donald of China* (Harper & Brothers, 1948)
Service, John S. *Lost Chance in China* (Vintage Books, 1975)
Sheean, Vincent. *Between the Thunder and the Sun* (Random House, 1943)
——. *Personal History* (Houghton Mifflin, 1969)
Snow, Edgar. *The Battle for Asia* (Random House, 1941)
——. *The Other Side of the River* (Random House, 1962)
Stilwell, Joseph W. *The Stilwell Papers* (William Sloane Associates, 1948)
Tang, Tsou. *America's Failure in China : 1941-1950* (University of Chicago Press, 1963)
Tuchman, Barbara. *Stilwell and the American Experience in China : 1911-1945* (Macmillan, 1970)

本書は一九九五年六月刊行の
小社単行本を文庫化したものです。

宋《そう》姉《し》妹《まい》

～中国《ちゅうごく》を支配《しはい》した華麗《かれい》なる一族《いちぞく》～

伊藤《いとう》 純《じゅん》・伊藤《いとう》 真《まこと》

角川文庫 10862

平成十年十一月二十五日 初版発行
平成十三年五月二十五日 十二版発行

発行者――角川歴彦

発行所――株式会社角川書店
東京都千代田区富士見二―十三―三
電話 編集部(〇三)三二三八―八五五五
営業部(〇三)三二三八―八五二一
〒一〇二―八一七七
振替〇〇一三〇―九―一九五二〇八

印刷所――横山印刷 製本所――本間製本

装幀者――杉浦康平

定価はカバーに明記してあります。

ん 3-36 ISBN4-04-195426-6 C0121

角川文庫発刊に際して

角川源義

第二次世界大戦の敗北は、軍事力の敗北であった以上に、私たちの若い文化力の敗退であった。私たちの文化が戦争に対して如何に無力であり、単なるあだ花に過ぎなかったかを、私たちは身を以て体験し痛感した。西洋近代文化の摂取にとって、明治以後八十年の歳月は決して短かすぎたとは言えない。にもかかわらず、近代文化の伝統を確立し、自由な批判と柔軟な良識に富む文化層として自らを形成することに私たちは失敗して来た。そしてこれは、各層への文化の普及滲透を任務とする出版人の責任でもあった。

一九四五年以来、私たちは再び振出しに戻り、第一歩から踏み出すことを余儀なくされた。これは大きな不幸ではあるが、反面、これまでの混沌・未熟・歪曲の中にあった我が国の文化に秩序と確たる基礎を齎らすためには絶好の機会でもある。角川書店は、このような祖国の文化的危機にあたり、微力をも顧みず再建の礎石たるべき抱負と決意とをもって出発したが、ここに創立以来の念願を果すべく角川文庫を発刊する。これまで刊行されたあらゆる全集叢書文庫類の長所と短所とを検討し、古今東西の不朽の典籍を、良心的編集のもとに、廉価に、そして書架にふさわしい美本として、多くのひとびとに提供しようとする。しかし私たちは徒らに百科全書的な知識のジレッタントを作ることを目的とせず、あくまで祖国の文化に秩序と再建への道を示し、この文庫を角川書店の栄ある事業として、今後永久に継続発展せしめ、学芸と教養との殿堂として大成せんことを期したい。多くの読書子の愛情ある忠言と支持とによって、この希望と抱負とを完遂せしめられんことを願う。

一九四九年五月三日

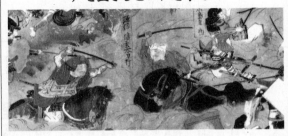

角川文庫ベストセラー

新版 いちずに一本道 いちずに一ッ事　相田みつを

現代人の心をつかみ、示唆と勇気を与える「相田みつを」の生涯を、未発表の書と共に綴った唯一の自伝。美しいろうけつを満載、超豪華版の初文庫。

やさしい季節(上)(下)　赤川次郎

トップアイドルへの道を進むゆかりと、実力派の役者を目指す邦子。タイプの違う二人だが、昔からの親友同士だった。芸能界を舞台に描く青春小説。

金田一耕助の新たな挑戦　亜木冬彦、姉小路祐、五十嵐均、霞　流一、斎藤　澪、柴田よしき、服部まゆみ、羽場博行、藤村耕造

横溝正史が生んだ日本を代表する名探偵《金田一耕助》が、歴代の横溝賞作家によってよみがえる！　入門書としても役立つベストアンソロジー。

ミステリーアンソロジー　密室　姉小路祐、有栖川有栖、岩崎正吾、折原　一、二階堂黎人、法月綸太郎、山口雅也、若竹七海

鍵の掛かった部屋だけが密室ではない。あらゆる場所が、密室状況になる可能性を秘めている。八人の作家による八つの密室の競演！

もとちゃんの痛い話　新井素子

突然左胸が痛み出した。一体どうしたのだろう？不安を胸にかかえ、産婦人科の門をくぐったもとちゃんを待ちうけるのは!?　おもしろエッセイ。

海のある奈良に死す　有栖川有栖

〝海のある奈良〟と称される古都・小浜で、作家有栖の友人が死体で発見された。有栖は火村とともに調査を開始するが…?!　名コンビの大活躍。

ミステリーアンソロジー　誘拐　有栖川有栖、五十嵐均、折原　一、香納諒一、霞　流一、法月綸太郎、山口雅也、吉村達也

攫う、脅す、奪う、逃げる！　サスペンス要素ぎっしりの〝誘拐〟ミステリーに、全く新たなスタイルを生み出した気鋭八作家の傑作アンソロジー。

角川文庫ベストセラー

湘南ラプソディー 神奈川県警猪川警部事件簿　景山民夫
一見、生活に疲れたサラリーマン。その実、警視総監賞を三つも貰っている神奈川県警捜査本部のエース、猪川警部。哀愁&ユーモア&名推理！

ティンカーベル・メモリー　景山民夫
ティンカーベルが消したはずの過去の記憶が甦る時、哀しくて優しい愛と再生の物語が始まる。23歳、インテリアコーディネーターの輪廻転生の旅。

第三版 俳句歳時記 全五冊　角川書店＝編
季語・解説を一新し、例句を大幅に入れかえた、新しい時代の文庫版歳時記。見やすく、充実した歳時記と大好評。句会・吟行必携！

夜の海に瞑《ねむ》れ　香納諒一
癌を患う老ヤクザが、死期迫るなか危険な駆け引きを試みた。裏切りと策謀の裏社会を舞台に、新たなるロマンの楔《くさび》を打ちこむ、香り高き冒険小説。

魔界医師メフィスト 魔女医シビウ　菊地秀行
かつてメフィストとともに老師ファウストに学び、その才能はメフィストを凌ぐと謳われた天才魔女医が、〝新宿〟に狙いを定めた!!

魔界医師メフィスト 黒天女　菊地秀行
妖気妖物の集合地点〝西新宿の藪しらず〟へ往診に出たメフィストが遭遇する究極の美女竹美の正体とは?! 戦慄のシリーズ第七弾！

たとえ朝が来ても　北方謙三
女たちの哀しみだけが街の底に流れていく――。錆びた絆にさえ、何故男たちは全てを賭けるのか。孤高の大長編ハードボイルド。

角川文庫ベストセラー

恋につける薬　北川悦吏子

「ロンバケ」「最後の恋」——最強の恋愛ドラマを生み出した著者の、恋や仕事にゆれ動く心の内を活写したキュートな一冊。悩めるあなたにどうぞ。

愛していると言ってくれ　北川悦吏子

耳の聞こえない晃次を、紘子は手話を習い、ひたむきに愛するが…。豊川悦司主演で大ヒットした、せつない恋愛ドラマの決定版、完全ノベライズ。

ブラディ・マリーは甘くない　喜多嶋隆

自分の手で夢をかなえる、それはとても素敵なこと。時に人生はほろ苦いかもしれないけれど……。ハワイを舞台におくる、人気シリーズ第五弾！

覆面作家の愛の歌　北村薫

きっかけは、春のお菓子。梅雨入り時のスナップ写真。そして新年のシェークスピア…。三つの季節の、三つの謎を解く、天国的美貌のお嬢様探偵。

覆面作家は二人いる　北村薫

姓は《覆面》、名は《作家》。二つの顔を持つ新人作家が日常に潜む謎を鮮やかに解き明かす——弱冠19歳のお嬢様名探偵、誕生！

それでもいいと思ってた
13のラヴ・ショート・ストーリー　木根尚登

切なくても、苦しくても、それが恋だった。ただ待つだけの恋、年の離れた人との恋、すれちがいばかりの恋……。木根尚登が贈る、ひたむきな13話。

やんごとなき姫君たちの秘め事　桐生操

ヨーロッパの美しい姫君たちの恋愛や結婚の理想と現実は？　彼女たちの寝室にもぐりこみ知られざるエピソードを満載する好評姫君シリーズ!!

角川文庫ベストセラー

角川文庫ベストセラー

アキレスと亀　清水義範

マラソン中継、対談、大衆酒場など、身近な場面をこれぞとばかり素材にした、爆笑清水ワールド決定版。〈笑い保証付き〉傑作小説集。

超・怪盗入門　清水義範

高校生のときからのくされ縁が続いている、雑賀《さいが》鉄平《てっぺい》と福永潤一《ふくながじゅんいち》。謎の美女の甘い誘惑に誘われて怪盗に転職するが。痛快ユーモア・ミステリー。

ジャンケン入門　清水義範

正しいジャンケンの方法を綴った表題作のほか、七編を収録。ユーモアとウィットにとんだ清水ワールド満載のお買い得、短編集。

主な登場人物　清水義範

かの名作『さらば愛しき女よ』の〝主な登場人物〟表から、ストーリーを想像すると、どんな話になるのか!?　表題作のほか十五編を収録。

超・誘拐入門　清水義範

鍋島鉄平と網代潤一が、飲み屋で出会った男から依頼された仕事は〈誘拐〉だった。戸惑う二人だったが……。ユーモア犯罪ミステリー。

世界衣裳盛衰史《よのなかはきぬぎぬのうつろい》　清水義範

ココ・シャネルから高田賢三――。古今東西、御存じファッション界の達人の素顔にせまる!!　文学界の達人たちの文体模写《パスティーシュ》作品集。

笑説　大名古屋語辞典　改訂決定版　清水義範

名古屋の方言、名古屋独特の行事・事柄を辞典の形式で面白おかしく紹介。イラスト、漫画にエッセイも入ったわかりやすく楽しい名古屋語解説書。